PIERRE JEAN JOUVE

IL A ÉTÉ TIRÉ DE CET OUVRAGE DIX EXEMPLAIRES SUR HOLLANDE,
MARQUÉS DE A A J.

POÈTES
d'aujourd'hui

48

PIERRE JEAN JOUVE

Présentation par René Micha
Choix de textes, bibliographie, dessins, portraits, fac-similés.

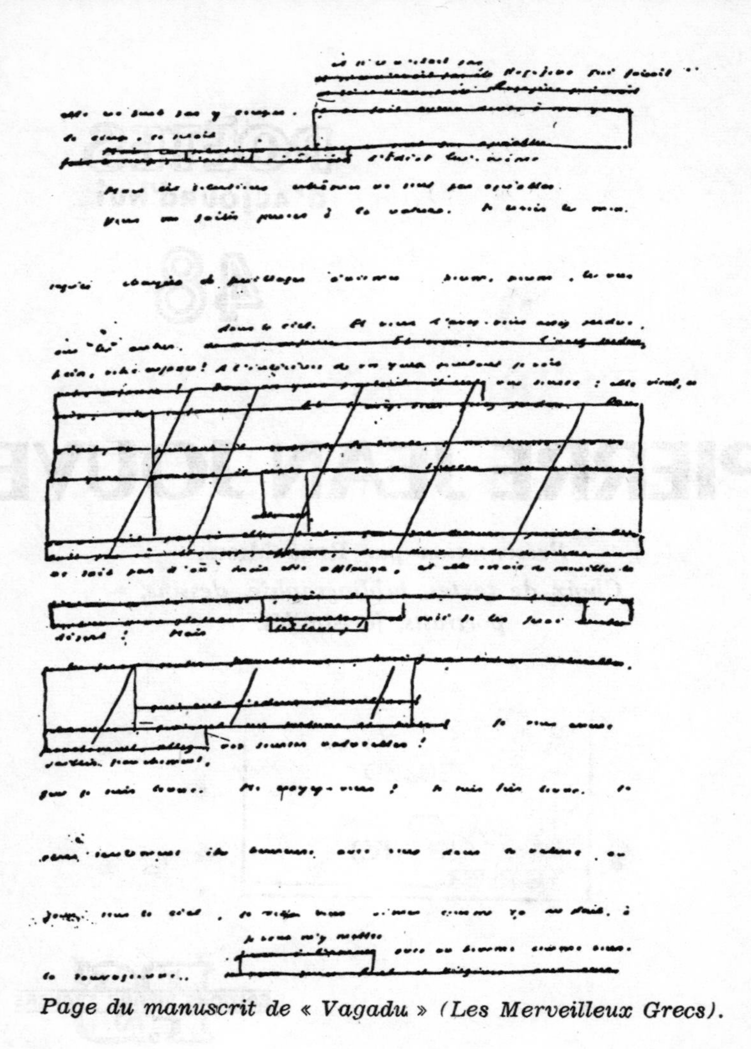

Page du manuscrit de « Vagadu » (Les Merveilleux Grecs).

PIERRE JEAN JOUVE

par

RENÉ MICHA

Eau-forte d'André MASSON
pour l'édition originale de « Sueur de Sang » (1933)

I

J'ECRIS ce petit livre à Dieulefit, l'un des lieux que Jouve a aimés. Ville très légère, posée sur les premières marches des Alpes dauphinoises, Dieulefit appartient presque à la Provence. On y voit deux sortes de terres, les unes brûlées, d'un rouge éteint, les autres vertes, deux sortes d'arbres, deux sortes de cieux. Les rochers à vif, les buissons escaladant les pentes, les pierres et les tuiles sont du Midi. Il y fait chaud le jour comme à Nyons, frais la nuit comme à Die. Pierre Jean Jouve y est venu plusieurs fois avant la guerre ; sa demeure était à l'écart, parmi les collines. Il goûtait ici ce mélange de charme fin et d'aridité cruelle qui l'ont séduit ailleurs : à Salzbourg, et à Carona ou Soglio, endroits où l'Italie baroque s'unit à la montagne romantique. La Provence ne se trouve pas à la même échelle, les oppositions ne vont pas si loin : cependant une beauté complexe et comme lointaine s'articule sur le fond le plus fruste, le plus réel. C'est là le contraste que Jouve recherche, c'est le paradoxe qu'il soutient lui-même à divers moments de son œuvre : sans cesse au plus haut degré de l'émotion.

Je revois Jouve à Dieulefit, en juillet 1940. Les hasards de la guerre avaient joué pour lui et pour moi — et la relation ancienne, presque usée déjà, qu'il avait eue avec ce pays.

Depuis longtemps, Jouve prévoyait la guerre — et la nature particulière de cette guerre-ci, laquelle allait être, selon la parole de Jung, une « épidémie mentale », mettant en jeu la justice et l'équilibre de l'homme. Il avait dit les présages et exprimé d'avance la catastrophe ; il avait donc imaginé le pire ennemi, la souillure de l'ennemi sur la France, mais il n'avait pas imaginé la souillure que la France sécréterait elle-même. « Avoir tout prévu n'était d'aucune utilité, tant paraissaient immenses les bizarres surprises du malheur. » Je le trouvai déchiré — avec des accès d'humour noir. Le plus souvent, il était dans un état de mélancolie dont sa femme, ses amis (parmi eux Pierre Emmanuel) ne pouvaient le tirer. Son abattement, son angoisse, sa colère nous représentaient sans cesse la monstruosité de l'événement quand autour de nous tout paraissait tranquille, figé dans le nouvel ordre des choses. L'appel du Général de Gaulle eut pour lui le sens qu'il eut pour beaucoup, et aussi un sens particulier que l'avenir découvrirait. Dans les premiers temps, ce fut l'unique clarté. Lorsqu'il la vit grandir : l'important, dit-il, n'est pas qu'elle gagne déjà sur la nuit, mais qu'elle existe : ce pays a retrouvé son âme. Il put alors reprendre son œuvre : elle cessait d'être une chose morte, tombée de l'autre côté du monde.

Ces quelques semaines me le firent mieux connaître et aimer.

Nous nous promenions sur la lande de Dieulefit. Je l'interrogeais. Il me parlait de son travail, moins souvent de sa vie. Sa voix était saisissante, haute, basse, avec une nuance de tristesse. Cependant, il interrompait plusieurs fois son récit pour tourner en dérision la chose dite. Il semblait qu'un témoin, sorte de bourreau, dût toujours intervenir à quelque moment. Cette lucidité amère, de couleur bouffe, appelait le rire, mais inquiétait. Parfois il s'arrêtait pour me montrer une vipère ou une branche pétrifiée barrant le chemin, ou un olivier égaré là sous son feuillage de théâtre. Je me rappelle sa canne, très belle, que je voyais en cet instant.

L'image que je me formai alors de Jouve ne changerait plus beaucoup — ou est-ce que je démêle mal aujourd'hui les traits que le temps apporte peu à peu et qui composent enfin un portrait intemporel ? Jouve était déjà cette figure solitaire que les épreuves à venir ne pourraient éloigner davantage du train de ce monde : semblable à Mallarmé, mais encore à Max Jacob, premier saint du monde poétique moderne. Il me semblait voir dans sa conscience le conflit qu'on voit dans son œuvre : entre le refus et le désir. L'esprit de pauvreté triomphe de l'esprit de raison, mais il accepte la « règle d'or de la beauté ». Il renonce aux richesses de la terre ; il ne peut vivre sans celles, peu nombreuses, où la richesse suit la beauté. Un art, une nature sublimes : à Salzbourg, à Sils, à Soglio, à Aix-en-Provence. Un décor, un cabinet de travail rigoureux.

Plus grande, naturellement, l'exigence à l'égard des êtres — mais toujours dans le même sens : la grâce sous le jour net et cruel de l'esprit. Jouve montre de l'orgueil et de l'humilité, un esprit tyrannique et une gentillesse pleine d'invention, l'extrême passion de l'âme qui accuse le relâchement, la tiédeur de toutes les autres, cette sensibilité à laquelle il doit mille blessures. Il « mène le jeu » : et nous, nous devons dire les mots et accomplir les gestes qu'il attend. Nous craignons de faire un faux pas. Car il éprouve au dedans ce qui détruit ou contrarie la figure. Il souffre de toute imperfection, de toute laideur et de toute pauvreté proche de lui. En même temps il a de grands besoins d'affection. Il est sincère, bon, généreux. Sa générosité confond ; elle est l'envers de l'inquiétude. Il prête de noirs desseins à ses ennemis, mais les plus nobles à ses amis. On obtient sa tendresse et son aide avec la plus grande facilité. Ses jugements littéraires sont cruels et quelquefois injustes, mais il n'y entre pas la moindre trace d'envie. Il a, pour les écrivains, pour les peintres, pour les musiciens qu'il admire, une amitié vive et fidèle. Toute rupture lui coûte et use sa confiance. Par exemple, il goûte peu le tapage mené autour de la chose littéraire : les prix, les cocktails, les salons : cette « vanity fair » où l'on vend et l'on achète les objets spirituels comme les autres.

L'égotisme peut avoir l'excuse d'une œuvre ; mais il est *justifié* quand le moi du poète est entièrement soumis au projet de l'œuvre. Jouve a toujours vécu très près de lui-même : travaillant non pas pour lui, mais pour *l'autre* qu'il contient. Pour un maître intérieur, commandant quand il le voulait l'idée, la période de travail, l'effort :

« Je n'ai jamais été libre d'écrire ou de ne pas écrire, dit-il encore. Le fait d'écrire survient. Quant à l'expérience, elle paraît souvent marcher de son côté, mais je suis persuadé qu'il n'y a là qu'apparence. »

II

« SI la poésie prend racine dans l'enfance, dit Jouve, la mienne a pour ainsi dire perdu ses racines. Là-bas tout est embrouillé et confus, en partie oublié.

Je suis né à Arras le 11 octobre 1887 et ne suis pas tout à fait de la terre du Nord. Mon père s'était fixé là pour ses affaires ; il était originaire d'Ile-de-France, et ses ascendants, d'Auvergne ou de la vallée du Rhône. Quant à ma mère, elle était de Calais, et les noms de sa famille font penser à des ancêtres flamands ou même espagnols. J'aime assez ne rien connaître exactement de tout cela, et me sentir de plusieurs régions françaises, profondément, depuis longtemps, mais avec cette parcelle d'influence étrangère peut-être, qui expliquerait mon besoin d'« ailleurs ». Si vous voulez, l'Art n'est pas pour moi lié à l'origine locale ; il est affaire de *sang,* d'héritage.* »

Pierre Jean Jouve passe donc ses premières années à Arras (qu'il nomme volontiers « vieille ville espagnole », comme Victor Hugo faisait de Besançon), il va au collège et l'exècre, y prenant les choses avec le plus grand sérieux (trait qu'il a conservé). Au fond, il ne trouve guère de souvenirs précis avant sa douzième année :

---

* La partie biographique de cet ouvrage repose sur « En Miroir », sur ce que Jouve m'a dit à divers moments de notre amitié, sur ses « Entretiens avec Michel Manoll » (Radiodiffusion Française, 1954).

« ...Tout cela est comme enseveli et ne m'appartient plus particulièrement. Je ne *sens* pas ma poésie dépendre de mon enfance. Mais cela ne signifie pas que tous les mouvements de l'inspiration aient échappé à sa ténébreuse influence. Je ne puis me penser moi-même que comme adulte, ce qui présente des difficultés bien suffisantes. »

A partir de l'âge de douze ans, il fonde son existence sur un plaisir qui l'orientera tout entière. Sa mère avait enseigné le piano. L'enfant improvise au piano pendant plusieurs heures par jour. Se ressouvenant aujourd'hui de cette capacité d'inventer gauchement la musique en imitant, Jouve voit dans ce premier don (ainsi qu'il l'écrit dans son journal) « les signes, non seulement du lien profond à sa mère, mais aussi du démon artiste ».

« Toutefois, dit-il, je ne crois pas avoir eu *conscience* d'être lié à ma mère de façon dangereuse, disons passionnelle, mais j'eus la preuve que des rhyzomes très épais m'avaient attaché à elle et à ma sœur. » (C'est bien plus tard, à la fin de la deuxième guerre, qu'il se figurera cet attachement avec le plus de violence : lorsqu'il invoquera, passionnellement c'est vrai, les choses de la France ; sa mère étant déjà morte.)

A seize ans, il manque de disparaître et ne doit son salut qu'à une opération in extremis. La vie sauvée ne représente pas la santé, hélas. Il connaît une longue crise dépressive qui probablement change son destin. Il passe des mois, ou plutôt des années, entre la musique (toujours l'improvisation au piano) et la méditation douloureuse. « Tel Saül écoutant la harpe de David, écrira-t-il un jour, je me secourais moi-même. »

Sur le plan de la vie courante qui à vingt ans est celui de la vie sentimentale, on observe la même disponibilité :

« J'étais un dandy, élégamment vêtu et assez suffisant de

sa personne. Je m'attachais fugitivement à toutes sortes de jeunes filles, gardant mes troubles pour moi, n'avouant pas mes amours... Il y avait en moi du puritain. Cependant j'avais déjà connu un amour véritable, pour la belle Capitaine H... : vous savez que l'image de cette femme fut extrêmement longue et qu'elle devait reparaître dans mes romans. »

Vers ces années, un ami qu'il nomme « le personnage exerçant l'ascendant » lui découvre Rimbaud, Baudelaire, Mallarmé. Le voici ébloui. La Poésie maintenant se tient aux côtés de la Musique. Il écrit ses premiers poèmes, fonde une petite revue. Tout ceci sans importance — sauf pour le développement spirituel : car il est dans le doute et ne sait où porter ses regards. Après un séjour à Genève (aux bains d'Arve), où il a tenté d'améliorer sa mauvaise santé, il s'installe à Paris (nous sommes en 1909). Il y apporte sa revue et la fera paraître pendant deux ans encore. On y reconnaît l'influence des derniers symbolistes : Verhaeren, Maeterlinck, Viélé-Griffin, Jammes, Ghil.

« ...Je crois que nous allâmes jusqu'à Max Jacob. Et c'est par cette revue, « Les Bandeaux d'Or », que je connus les écrivains de « l'Abbaye ». Cette abbaye venait de fermer ses portes, mais la phalange continuait, chacun de son côté, dans le même esprit. »

Jouve avoue avoir subi alors des influences assez fâcheuses ; effectivement les livres qu'il publie en ce temps-là portent la trace de Walt Whitman et, du point de vue de la technique, doivent au mouvement dit unanimiste. Pendant quelques années (qui couvrent la première guerre), il fait une œuvre humanitaire et raisonnable, teintée de tolstoïsme, le plus souvent inauthentique. Il semble toutefois que certains critiques donnent à cette période de la vie littéraire de Jouve une valeur intentionnellement exagérée. Maintenir Jouve au chapitre des Compagnons de l'Abbaye, comme fait René Lalou dans son

« Histoire de la Littérature Française Contemporaine », même en marquant les nuances, ne peut que prolonger une équivoque. C'est d'ailleurs, nous le verrons plus loin, aller délibérément contre la volonté du poète lui-même. Je crois que le côté artiste de Jouve (si même à ses débuts il prête à sourire) devait le préserver des proclamations vulgaires : le « maintenant, il faut des Barbares » de Charles-Louis Philippe est repris par le chœur unanimiste sans qu'il y mêle sa voix. De ce compagnonnage, il conservera finalement une volonté précieuse (car il va l'accomplir de façon neuve) : la volonté d'exprimer tout le Réel.

La guerre de 1914-1918, au moment de sa trentième année, forme transition : elle l'accable et le perd plus avant, mais elle commence de le délivrer. Un peu plus tôt, il a visité l'Italie, il s'est marié (il aura un fils), il a travaillé pour vivre. L'angoisse ne l'a point quitté. Un poème, extrait de « Prière » (recueil qu'il rejette aujourd'hui comme tous ceux qu'il a fait imprimer avant « Les Noces ») donne l'idée peut-être de cette solitude :

Point de sûreté dans ces années, aucun désir, ni ami ni livre
Moi seul comme un ennemi
Invariablement présent, l'ennemi du miroir.
Cela s'est déroulé en moi comme une trame de faiblesse, une hâtive construction :
Que ce soit jadis dans le Nord sur la plaine du blé mortel
Le long des longues routes que le vent plie et rebrousse
Ou dans la ville appartenant aux marchands d'huile et aux capitaines,
Que ce soit à Paris plus tard quand je me saoulais en compagnie,
Que ce soit à Rome où j'errais, sous un palais jaune qui tient tête au ciel vide !
Et même en province marié, quand le petit enfant dormait dans la cour !
Sous tous les ciels, parmi les hommes, parmi moi seul.

Jouve entre, en octobre 1914, comme infirmier volontaire à l'Hôpital militaire des contagieux de Poitiers ; en une année, il y contracte trois des maladies infectieuses qu'il soigne et, menacé de turberculose, est envoyé en Suisse, à la haute montagne — où il recommence à soigner les internés français.

C'est le moment où s'épanouit son amitié pour Romain Rolland, dont l'attitude européenne, et cependant nationale, l'a séduit. Pendant quelques périodes il partage la vie de Rolland, dans les hôtels où celui-ci vit en perpétuel campement.

Le Journal de Romain Rolland* nomme Jouve assez souvent : toujours avec amitié. Il le montre « hypersensible, irritable, affectueux », en même temps « intelligent, cultivé et artiste : un jeune frère de même race, qui me comprend à demi mot ». Il vante les articles que Jouve publie alors : « âpres, cinglants, de la meilleure lignée française — de la haute satire morale et politique — dans les traditions de nos grands classiques du XVIe et du XVIIe siècles ».

Ces œuvres — « apostrophes d'une âme juste à la cité mauvaise » comme dira Gabriel Bounoure — sont sans aucun doute généreuses ; mais elles éloignent Jouve de soi et de son domaine. Je remarque cependant que dans une lettre adressée à Rolland le 13 décembre 1915 il témoigne d'une singulière prescience : « Je ne suis pas tant esprit logique, écrit-il, qu'*esprit absolu*. J'ai toujours été en entier quelque part, dans la vie déréglée comme dans la règle... Je crois que je vais vers une forme de pensée religieuse... ». Apparemment ce qui le séduit dans l'auteur de « Jean-Christophe » c'est la couleur double de sa pensée, tragique et gaie. Mais en somme la valeur tragique l'emporte. On pourrait dire, après Michelet : « La guerre, ce triomphe du diable, il y porte l'esprit de Dieu ».

Jouve aujourd'hui « salue de loin » Romain Rolland :

« Il fut pour moi un grand exemple de courage et de dignité

---

* Publié après sa mort.

intellectuelle. Il était une personnalité beaucoup plus vaste que son œuvre. Il avait le sens le plus haut des idées et de l'histoire, et la passion de la musique ; mais la poésie ne le touchait pas. Ou plutôt elle ne le touchait que dans une zone pour moi très dangereuse, celle de l'action. »

Il ajoute : « Il faut tenir compte des souffrances et des confusions de cette époque. Jamais je ne fus plus loin de mon mouvement initial qu'en 1917 ou 1919 ».

Jouve dit vrai. Mais il me plaît de penser que, pendant l'une et l'autre guerre, il a réagi dans des sens opposés en apparence, les mêmes dans le fond : se rangeant chaque fois parmi les meilleurs (Thomas Mann, Einstein, Stefan Zweig, Strawinsky...).

1921 le trouve à Florence, puis à Salzbourg. L'état de crise va se dénouer, le long travail intérieur affleurer à la lumière. Au même moment, il rencontre celle « qui l'appelle et qui le nomme ». (Il n'y a pas lieu de décrire ici les péripéties d'un divorce qui rompt le premier mariage.) Jouve vit désormais à Paris.

« Tout passé avait disparu, ou devait disparaître. L'éloignement prolongé, comme les erreurs commises, fortifiaient mon jugement sur moi-même et sur les choses que je retrouvais. »

Ces choses : c'est le cubisme maintenant installé, c'est Dada (et bientôt le surréalisme), c'est le Groupe des Six, l'école d'Arcueil. Le meilleur et le pire ou, comme remarque Jouve, le règne du tohu-bohu.

Mais c'est aussi pour lui le moment de la plus grande aspiration et de la plus grande force vers le but. Mes notes ici ne sauraient égaler les formules qu'on trouve dans « En Miroir » : « J'étais orienté vers deux objectifs fixes : d'abord obtenir une langue de poésie qui se justifiât entièrement comme *chant* — pas un des vers que j'avais écrits ne répondait à cette exigence ; et trouver dans l'acte poétique une perspective *religieuse* — seule réponse au néant du temps ».

Les trois années qui suivent commencent cet ouvrage. Elles sont vouées à la méditation, à la prière, à l'étude des textes majeurs : d'un côté Baudelaire, Nerval, Rimbaud, Mallarmé, de l'autre François d'Assise, Catherine de Sienne, Thérèse d'Avila. Elles conduisent au sacrifice de 1924 : *au rejet, en bloc, de toute l'œuvre publiée jusqu'alors*. Jouve expliquera sa détermination dans la postface de « Noces » (1928) : « Cet ouvrage porte l'épigraphe « Vita Nuova » parce qu'il témoigne d'une conversion à l'Idée religieuse la plus inconnue, la plus haute et la plus humble et tremblante, celle que nous pouvons à peine concevoir en ce temps-ci, mais hors laquelle notre vie n'a point d'existence. La conversion porte pour moi la date de 1924. Si, comme je le crois, la plus grande poésie et la véritable est celle que le rayon de la Révélation est venu toucher, on me laissera le droit, au moment où je livre au public le poème de « Noces », de dire que l'esprit comme la source des livres que j'avais écrits antérieurement me paraissent à présent « manqués »... Pour le principe de la poésie, le poète est obligé de renier son premier ouvrage. » Le geste surprend et scandalise, en tout cas n'est guère compris. Bien peu sont émus par un acte d'humilité qui se veut aussi un acte de dépassement. Il en est qu'une coquetterie curieuse pousse à défendre les livres reniés. Paul Eluard fut de ceux-là (qui me donna en 1942 son exemplaire de « La rencontre dans le Carrefour ») : lui du moins était sincère et n'avait nul dessein de minimiser l'œuvre véritable de Jouve.

Celle-ci s'ouvre avec « Les Mystérieuses Noces » (1925) où le poète essaie des forces de libération.

« Les thèmes de ce livre, dit-il, étaient trop souvent mélangés à des tableaux de la symbolique religieuse traditionnelle. L'ouvrage suivant, les « Nouvelles Noces », de 1926, apportait, dans des pièces encore plus brèves, une vue plus cruelle, une transposition plus hardie, à partir des « déserts » de l'existence. En 1928, j'ajoutai pour une troisième édition le « Jardin des Ames au Printemps », reflet intérieur d'un couvent dont j'avais la perspective sous mes fenêtres. Ensemble ces différents livres composent « Les Noces ». La métrique en était libre, mais organisée en vers étroitement établis et qui, sans viser peut-être au *chant* autant qu'il eût fallu, tendaient à créer un *état* puissant de poème. Ces poèmes surgissaient de choses très inconnues, mais en suivant quelque peu le cours de ma vie ; je ne dirai pas : de mon expérience, car cette expérience était réduite, et la vie sacrifiée au travail. Une architecture — car je tiens à la présence d'une architecture dans ma longue œuvre — reliait ensuite et organisait les ensembles.

La mort n'existait pas pour moi en ce temps-là ; je veux dire que la mort était assez loin derrière l'écran du poème. »

...On arrive à la « Symphonie à Dieu » (1930) qui est d'un caractère tout autre, où doit apparaître le chant, et sous le chant la matière, où par une sorte de revirement une forte poussée sensuelle se fait jour. Mais entre les dernières « Noces » et la « Symphonie », il y avait eu « Le Paradis Perdu » de 1929. La « Symphonie » prolonge le « Paradis » et lui ajoute une image du déluge figurant maintenant la mort suivie de renaissance.

Jouve laisse errer le regard de sa mémoire :

« Je dois vous parler de Carona. J'avais alors, en été, une petite maison en haut de ce village, sur la colline qui sépare deux branches du lac de Lugano, à quelques pas de l'Italie. La beauté italienne ancienne du village, la nature exubérante de végétation verte, les châtaigniers majestueux accrochés sur les pentes, et la brousse en certaines parties, formaient pour ma rêverie un entourage extraordinaire de chaleur, de mystère amoureux ; de mystère tragique aussi lorsque venant des hautes Alpes soufflait le « vento », qui transformait en acier le paysage, les collines et les montagnes bouleversées. C'est à Carona que je devais non seulement une partie du « Paradis Perdu » mais la « Symphonie » et parallèlement la toile de fond du second de mes romans, « Le Monde Désert ». Je n'ai point oublié Carona rose et vert, ses églises romane et baroque, ses cloches rituelles, ses paysans ivrognes et affectueux, ses vieilles chargées de hottes et ses belles filles qui ne duraient qu'un instant... »

III

1933. Pierre Jean Jouve est au milieu de la vie et peut-être au cœur de l'œuvre.

En l'espace de dix ans, de 1925 à 1935, il fait toute son œuvre romanesque : six volumes qui composeront plus tard quatre livres : « Paulina 1880 », « Le Monde Désert », « Aventure de Catherine Crachat » (« Hécate » et « Vagadu »), « Histoires sanglantes » (« Histoires Sanglantes » et « La Scène Capitale »).

Dans le même temps spirituel (1933 formant toujours l'axe), sa poésie comprend « Le Paradis Perdu », « Les Noces », « Sueur de Sang », « Matière Céleste ».

Ailleurs, j'ai proposé pour cette période de l'œuvre une division en *cycles*, citant du nom de celle qui l'anime : le cycle de Paulina (« Paulina 1880 », « Les Noces », « Le Monde Désert », « Le Paradis Perdu »), le cycle de Catherine (« Hécate », « Vagadu »), le cycle d'Hélène (« Histoires Sanglantes », « Sueur de Sang », « La Scène Capitale », « Matière Céleste »).

Viendra ensuite un quatrième cycle, qu'il faudra caractériser par l'apparition des deux thèmes de Catastrophe (déjà pressentie dans l'Avant-Propos à « Sueur de Sang ») et de

Liberté — en tentant de réunir partout l'âme spirituelle. Ce cycle commence à « Kyrie » (1938).

Mais pourquoi 1933 ? C'est l'année où paraît « Sueur de Sang », qui bouleverse le cours poétique et marque décisivement une expérience commencée plus tôt.

En 1925, Jouve s'est trouvé en contact avec diverses opérations de psychanalyse, dont l'une poussée fort loin. Il a fait de grandes découvertes. Il lui est apparu que ces découvertes, si elles ne suffisent pas à expliquer le mystère de l'esprit humain, le dévoilent en partie et ainsi éclairent l'existence. Il a éprouvé que la psychanalyse est une *science :* science particulière et particulièrement redoutable, puisque c'est une « science-sur-soi » où l'homme voit ce qu'il cherche devenir celui qui cherche. Il a compris que cette expérience n'est pas sans doute un objet de poésie mais qu'elle enrichit notre connaissance du moi et du même coup son expression. Du reste il a relevé qu'entre la métapsychologie et l'art, Freud jette un pont quand il précise dans un texte sur l'hystérie qu'« une discussion approfondie des processus psychologiques, tels qu'on les trouve chez les poètes, permet d'y voir clair. »

L'Avant-Propos à « Sueur de Sang » est à cet égard un texte capital. Il a été mille fois cité, en mal ou en bien, cependant je dois à mon tour en reprendre les fragments principaux, car je n'oublie pas que mon travail, si insuffisant soit-il, doit donner une image aussi proche que possible de son modèle :

Nous avons connaissance à présent de milliers de mondes à l'intérieur du monde de l'homme, que toute l'œuvre de l'homme avait été de cacher, et de milliers de couches dans la géologie de cet être terrible qui se dégage avec obstination et peut-être merveilleusement (mais sans jamais y bien parvenir) d'une argile noire et d'un placenta sanglant. Des voies s'ouvrent dont la complexité, la rapidité pourraient faire peur. Cet homme n'est pas un personnage en veston ou en uniforme comme nous l'avions cru ; il est plutôt un abîme douloureux, fermé, mais presque ouvert, une colonie de forces insatiables, rarement heureuses, qui se remuent en rond comme des crabes avec lourdeur et esprit de défense. (...)

Les dénégations les plus violentes peuvent secouer le monde : l'homme moderne a découvert l'inconscient et sa structure ; il y a vu l'impulsion de l'éros et l'impulsion de la mort, nouées ensemble, et la face du monde de la Faute, je veux dire du monde de l'homme, en est définitivement changée. (...)

Les poètes qui ont travaillé depuis Rimbaud à affranchir la poésie du rationnel savent très bien (même s'ils ne croient point le savoir) qu'ils ont retrouvé dans l'inconscient, ou du moins la pensée autant que possible influencée de l'inconscient, l'ancienne et la nouvelle source, et qu'ils se sont approchés par là d'un but nouveau pour le monde. (...)

La révolution comme l'acte religieux a besoin d'amour. La poésie est un véhicule intérieur de l'amour. Nous devons donc, poètes, produire cette « sueur de sang » qu'est l'élévation à des substances si profondes, ou si élevées, qui dérivent de la pauvre, de la belle puissance érotique humaine.

« Sueur de Sang » suscite, (même à l'intérieur de la *N. R. F.* à laquelle Jouve collabore régulièrement), des réactions forcenées. Raymond Schwab écrit que, tel un nouveau Joseph, l'auteur place l'obsession dans le sac de ses frères pour être sûr de l'y retrouver ensuite. Mais d'autres voix répliquent aussitôt : dont celle, juste comme toujours, de Joë Bousquet. Un an et demi plus tard, au moment d'une nouvelle édition, Jean Wahl écrira, dans la *N. R. F.* encore, et non sans mélancolie, que les hommes de sa génération ne sont pas faits pour aborder une telle poésie : « mais d'autres, plus jeunes, par une incompréhensible marche du temps, entrent dans cette expérience et la vivent, avec toutes ses difficultés. »

En vérité, Jouve ne cherche pas le scandale et il ne veut pas « enfermer la Poésie dans la cave des instincts. » Mais il revendique le droit d'écrire en poésie à partir des valeurs inconscientes : enrichissant d'autant le conscient.

Sa démarche diffère donc essentiellement de celle des surréalistes, si même elle la croise sur un point. Ce point concerne la réalité de l'automatisme verbal.

« Toutes les fois, dit Jouve, que dans la parole ou l'écriture on sent la proximité de mots qui ne sont pas liés par un sens (lapsus, coq-à-l'âne, etc.), on a affaire à un mécanisme qui n'est pas sans valeur, mais qui est aveugle, ou encore ne rend possible qu'une compréhension « aliénante » de nous-même. L'écriture automatique laissée à ce stade-là aboutit au refus dialectique de sens ; il se produit alors de notre part un sentiment de rupture, et une demande, une attente, une exigence de communication plus vraie. A cet égard, l'effort des surréalistes serait assez valable ; il semble aussi que leur effort s'arrête à mi-côte, ce qui fait que l'expérience n'est pas menée jusqu'au *cœur*. Par contre ce qui est flagrant, c'est l'envahissement de la répétition et du mentisme. Les associations verbales n'entraînent que rarement les associations libres, de tout l'esprit seules fructueuses ; ainsi l'écriture automatique devient l'artifice d'une pseudo-liberté. »

J'aurai l'occasion de revenir à l'Avant-Propos et peut-être de le citer à nouveau. Pour le moment, je voudrais y joindre un passage au moins du texte publié en 1938 comme préface à une nouvelle édition du « Paradis Perdu » (celle qu'a si admirablement illustrée Joseph Sima). Le titre en est « La Faute » :

Qui est coupable ? Celui *qui s'abandonne à la* force sacrée, *car cette force sacrée est aussi condamnée. Ce baiser, et ce sexe en flamme, ils ne pouvaient pas voir le jour : les voilà familiers avec le tube de la nuit et ils dorment, pour ainsi dire en dessous ; là ils font tout le travail, souffrent, se meurtrissent, ils s'aident de la mort, ils sont tués et ils tuent. Si je n'ai pu leur faire voir le jour, si j'ai dû les refermer dans la cachette de l'indistinct, dans l'in-pace, et si je les maintiens là en supplice, est-ce parce qu'ils sont coupables ? ou sont-ils devenus coupables parce que je les ai cachés ? Peut-être, s'ils n'étaient plus coupables, pourraient-ils voir le jour. Peut-être, s'ils pouvaient enfin voir le jour, je ne les accuserais plus. Mais dès que je me sens vraiment coupable d'avoir étalé le plaisir, je pense à la mort avec immédiate envie : c'est ainsi que les choses sont liées. Ma culpabilité c'est vouloir mourir parce que ce qui doit être refoulé dans le fond est venu au jour et m'a fait plaisir.*

Malheur à celui par qui arrive le scandale ! Dans le terrible procès qui m'est fait, mon avenir est engagé. Comment concilier ma nécessité vivante, le labeur et les atrocités du procès, avec l'intention divine ? O Dieu — pourquoi ne m'accordes-tu pas un peu plus de lumière — ou un peu plus d'obscurité ? J'ai la connaissance entière de ma division. Mais cette division ne serait-elle pas celle de Dieu ? Une si atroce condition, que je sois éternellement accusé en Dieu et coupable de la vie dont Dieu est l'origine, ne peut pas s'expliquer par la raison qui m'est ordinaire. L'injustice peut-elle baigner dans la justice — mais je sais que l'énoncer c'est encore adorer la Justice. Deus absconditus *— je vois que l'homme ne travaille, ne progresse, ne fait un pas vers Toi que s'il attend, à tout instant de sa vie et au-delà de sa vie, le châtiment exemplaire qu'il est sûr d'avoir mérité. La vie des saints est un long cri de terreur ; les oreilles de Dieu l'ont aimé. Elles l'ont aimé parce qu'à la pointe de la terreur c'est calme, il n'y a plus que liberté et félicité pure, l'argile étant une bonne fois séparée, la rupture accomplie, la matière indispensable laissée à la vérité : tandis que Dieu est non-vrai, non-réel, antérieur à ce qui est réel, indifférent au destin,* *inexistant de notre existence : et telle était premièrement l'union à lui.*

On aura remarqué que les premières phrases nous replacent sous la lumière de l'Avant-Propos (bien que la forme soit plus directe, plus vive, dirai-je : existentielle ?) tandis que les suivantes mêlent au procès de l'homme le procès de Dieu. De l'un à l'autre texte : aucune contradiction ni aucune faille. Mais un élargissement du regard : Jouve prend de la hauteur. Il imagine Sigmund Freud pénétrant dans l'édifice « grandiose et précis » de la théologie ancienne ; l'édifice se distord mais demeure reconnaissable ; quant à Freud, s'il se sent étranger en un tel lieu, il n'est point perdu. Le moment d'après, Jouve tente l'opération inverse : soumettant l'histoire de la Genèse à une nouvelle interprétation, il en fait une histoire « véridique et explicante. »

En somme — et c'est où je voulais en venir — l'univers de Jouve est l'univers même qu'il a créé. Je ne néglige pas les matériaux. Comment le pourrais-je ? si je me rappelle l'enfance catholique de Jouve, sa longue fréquentation des mystiques, l'élan religieux de 1924 ; d'un autre côté, l'expérience précise de la psychanalyse qu'accompagne, à certain moment, « une contagion des états suscités ». Mais je suis sûr que ces matériaux, que Freud ou le St Paul de l'Epître aux Romains, importent moins que l'architecture de l'œuvre, laquelle est constamment originale.

Cependant il faut aller plus loin et — l'essence chrétienne maintenant reconnue, la psychologie des profondeurs affirmée — dire peut-être que les réalités dont Jouve nous entretient doivent être entendues partiellement comme des allégories quand elles fondent le récit ou le poème. Elles ne fournissent donc pas toutes les clés — il n'existe pas de « clé de la poésie », et dans « Sueur de Sang » la poésie est d'abord poésie — mais elles figurent symboliquement l'univers inventé.

Figuration magique dans son chiffre même, dans son signe. Est-ce le triangle, celui que dessinent un instant la faute, la mort et l'amour ? Mais la faute est dans l'amour, et la mort dans la faute, la mort est aussi dans l'amour. Reste un état unique de culpabilité, ou encore, face à la culpabilité, deux instincts qui se lient et se déchirent. Mais ici se produit un changement à vue. L'amour est soudain la vie. Il est ce principe ou cette énergie dont le poète et le mystique ont semblablement besoin. Et de même, la mort : qui à son tour donne la vie. Finalement l'homme est la réunion de tout : de l'amour, de la mort, donc de la faute ; de l'amour, de la mort, donc de la vie.

J'ai parlé aussi de cycles. On pourrait dire peut-être que le cycle de Paulina est celui de la Faute ; le cycle de Catherine celui de la Mort ; le cycle d'Hélène celui de l'Amour (ou de la double Mort). Chaque fois, on croirait voir une couleur ou un masque essentiel.

Paulina commet le péché, mais elle aime Dieu. Cet amour est fait de son péché où il trouve la force. Puis Dieu la tire à soi, elle entre au couvent. Peine perdue. Elle n'est pas une Visitandine comme les autres. Car la faute ne désarme point : mais à la façon d'une pierre cachée rayonnante continue d'agir. Agit à travers les fibres d'une chair orgueilleuse, que n'exténue pas l'imitation des anéantissements de Notre Seigneur, que ne purifie pas le sang (« Prié avec l'os de Saint Vincent appliqué sur mes plaies »), que ne touche pas la sainte discipline de la Visitation. Agit pernicieusement sur les autres membres de la communauté au point de troubler l'une d'elles « jusque là nette comme l'or ». Chassée du couvent, Paulina est rejetée dans les bras de son amant. A la fin, elle le tue, tente en vain de se tuer, passe dix ans en prison, et achève son existence dans un village où les paysans parfois barbouillent sa porte. La faute alors se défait. La mort de Michele n'avait pas supprimé le péché. Mais la prison et l'usure ôtent le péché parce qu'ils ôtent la vie. Devenue une vieille femme, Paulina est pareille à une morte-vivante et un étranger venu la saluer voit en elle « la pureté et le sourire. »

Tout ici est appelé par la faute. L'amour pour Michele. L'amour pour elle-même (cette fois où elle égorge un chevreau qu'elle chérit et mouille sa main de sang chaud, cette fois où elle se prend comme un papillon au feu d'un adorable miroir). L'amour pour Dieu : si elle se sépare de son péché, elle se sépare de Dieu. La mort de Michele. Celle peut-être de son père. Enfin la mémoire : 1880 est l'année de la plus grande faute et pour toujours le millésime de Paulina.

Le déchirement de la foi par la volupté, dans « Les Noces » (avant tout dans la « Symphonie à Dieu »), la nature du péché dans « Le Paradis Perdu », péché de la naissance, et dans « Le Monde Désert » la soif et le refus de l'unité, tels seraient peut-être les éléments d'une gravitation dans le sein de la Faute. Mais il y a aussi les liens à Paulina.

Paulina est une jeune fille, puis une jeune femme et un jour — mais c'est dans l'épilogue, dans une région qui ne nous atteint plus — ce sera une vieille femme. Paulina est naturellement un être de chair, pleine d'un amour immense et hardi comme en peint la chronique italienne, cependant c'est un être de réflexion, qui *se met* dans la main de Dieu ou s'en retire et n'obéit jamais qu'aux mouvements contraires de son âme.

Paulina est enfin un lieu. Elle est jaillie de « toutes les mémoires d'Italie », spécialement de Florence où Jouve vient de passer deux ans. (Ainsi la première force qui fait de lui un romancier : une force de nostalgie.) « Car, dit Jouve, j'ai aimé l'Italie comme une femme. J'ai vécu à Florence dans maint endroit, mais surtout à Arcetri, derrière Torre al Gallo, où je fus quelque temps l'habitant de la villa « Il Gioiello di Galileo », vaste maison un peu à l'abandon qui était celle où Galilée fut en exil et mourut. Là je connus un ciel immaculé sur la terre rosée coupée de fuseaux noirs, la terrasse d'oliviers et de roses, enfin la chambre bleue : tout ce qui forme le cadre au crime de Paulina. »

Les œuvres de cette époque ou de ce cycle ne sont pas toutes nées de l'Italie ; quelques-unes viennent du Tessin ou même de Genève ; cependant elles appartiennent à la même lumière. De « Paulina 1880 » et des « Mystérieuses Noces » (composées dans le même temps) au « Paradis Perdu », et au « Monde Désert » il y a une seule ligne *séduisante* : qui disparaîtra avec Catherine pour ressurgir sous une forme différente, dans la gloire, avec Hélène.

Eve, quand elle réveille Adam et lui donne la faute en partage, est déjà, ou encore, dans la lumière de Paulina :

Adam : D'où vient le fruit bon à manger comme
ta poitrine ?
Eve : Je suis dans ton rayon de lune.
Adam : D'où vient le fruit ? Elle rougit, répond
Eve : Il vient d'Elohim.

Et pendant son mensonge
Ses seins durcissent sur le devant de son cœur
Leur pointe est à vif et saigne dans l'obscur
Tandis qu'une force furieuse lui donne ampleur
Qu'elle est belle !...

(« Le Paradis Perdu »)

Entre Paulina et son Dieu se forme et se reforme un *écran de verre* : dont la substance, écrit Jouve curieusement, est composée de sa sincérité même.

Cette substance tout humaine tient prisonniers les personnages du « Monde Désert ». Le romancier ne prétend pas en faire les instruments d'une action réelle ni même vraisemblable ; mais les animant l'un par l'autre et les conduisant à la limite de leur être, il voudrait les délivrer. Un fils de pasteur genevois, une Russe venue d'on ne sait où, et un poète. Jacques de Todi est homosexuel, mais non point homosexuel absolu ; il laisse deviner une tendresse, une grâce angélique. En Baladine est un état d'ennui qui dort sous tout ce qu'elle éprouve : pas d'importance, répète-t-elle sans se lasser. Luc Pascal porte durement un désir d'infini : il n'en réalise presque rien dans ses journées. Mais considérons plutôt les trois êtres comme se créant dans le tissu de leurs rapports, d'une sorte de création tâtonnante qui jamais n'achève sa figure. Baladine est tour à tour la maîtresse de Jacques et de Luc ; une fois, elle l'est des deux ; Jacques se suicide ; longtemps après, Luc épouse Baladine, qui l'abandonne aussitôt. Tel est le fait-divers. Au delà, il y a l'obstacle transparent. L'homme voit Dieu mais à aucun moment ne le touche. Chacun des trois attend de se trouver dans l'unité ; toutefois de l'un à l'autre l'unité change de visage et de rêve. Il faut que nous soyons unis, dit Baladine quand liée à Jacques elle se donne à Luc Pascal. Jacques met fin à sa vie parce qu'il la croit sur une ligne fausse et qu'il veut se présenter à Dieu « pour avoir l'unité ». Luc enfin, retrouvant Baladine après plusieurs années, lui parle d'une prison où il était demeuré en tête à tête avec Jacques, et « la prison dans laquelle nous étions tous les deux, c'était le souvenir que j'avais de vous, votre visage ».

« Le Monde Désert » ne décrit plus la faute, mais l'angoisse. L'angoisse est l'état qui vient après le péché ou qui met en face du péché. Elle annonce la mort. Malgré cela ou à cause de cela, elle est le chemin du perfectionnement. Cependant « Le Monde Désert » a son angoisse propre. L'écran de verre ne sépare pas de Dieu ou seulement de lui, il sépare des autres. Jacques, le fils du pasteur, croit voir Dieu dans ses créatures : ce garçon qui passe et qui est sa tentation, il en fera un ferment de vie spirituelle. Il y échoue c'est vrai ; du moins aperçoit-il Dieu quelquefois. Mais Baladine ne connaît que le néant et c'est à peine si Luc Pascal se connaît soi-même. Dans « La Faute » nous lisons que « l'homme doit quitter Dieu en lequel il est *non sciens* pour revenir un jour à lui *sciens* ». Ici nous sommes au point de la plus longue distance ou séparation d'avec Dieu. Il arrive que Luc et les autres ne voient plus l'angoisse, pourtant l'angoisse les voit.

Le deuxième cycle — de Catherine — est celui qui apparemment emprunte le plus à la psychanalyse ; mais comme souvent, lorsque les choses s'offrent avec l'évidence du trompe-l'œil, il faut chercher ailleurs la clarté profonde. Dans certains tableaux de l'école allemande, on voit au premier plan une scène qui donne son nom à l'ouvrage — c'est une chasse ou un supplice — et quelque part sur la toile un homme ou une femme regarde, qui se désintéresse du spectacle à la manière des figurants, et voici que son regard nous suit et que la signification tourne autour de lui. Puisque dans « Hécate » nous sommes en grande partie à Vienne, je me placerai sous l'égide de la musique : invoquant les « Noces de Figaro » qui au cours du roman occupent la place singulière d'un *signe* pour le drame le plus sombre. Dirai-je qu'« Hécate » est tout entier composé comme un opéra ? Avec sa musique d'enfer, ses récitatifs doucereux ou sanglotants, ses duos et ses trios, avec ses figures instables que déforme la passion amoureuse, avec l'imagerie aigüe, instantanée de son drame, avec ses couleurs le plus souvent renforcées parce que Vienne est au centre. Avouerai-je que le regard qui traverse l'aventure de Catherine Crachat est le regard de Jouve, que Jouve s'identifie à Catherine, que cette construction d'opéra est l'échafaud où se produit l'âme, jouant tous les rôles, pour soi et contre soi, et suscitant les scènes pour les rôles ?

Le récit de Catherine constitue l'*ouverture* : écrit au passé, car il montre les thèmes. Aussitôt après, et selon l'ordre du temps, les trois actes se déroulent sous nos yeux. Le premier fait se rencontrer Catherine Crachat et Pierre Indemini, le deuxième réunit C. C., P. I. et Fanny Felicitas Hohenstein, le troisième laisse aux prises Catherine et Fanny.

Exposition. A Paris. Catherine, qui s'appelle « Crachat » et qui est par contraste une femme splendide, entre dans la peau

Photographie à six ans (Arras, 1893)

Photographie à dix-neuf ans (Interlaken, 1906)

d'Hécate, déesse infernale. Elle aime ou aimante Pierre Indemini, personnage fin et réticent.

Péripétie. A Vienne. Catherine est en proie aux intrigues, aux agaceries, aux fureurs de la baronne Fanny Felicitas. Elle y succombe parfois et à d'autres moments il semble que sa pureté ou son démon doive l'emporter.

Ici se place l'une de ces rencontres machinées par le destin : quand Catherine, si aimée et courtisée par la baronne Fanny, retrouve dans le pied-à-terre des adultères de Fanny son ancien amant Pierre Indemini. Ainsi ils sont trois.

Reprise amoureuse de Catherine pour Pierre, reprise désespérée puisque celui-ci demande le renoncement et que Catherine s'enfuit, le perdant pour toujours ; bientôt c'est la mort lointaine de Pierre.

Catastrophe. Sur les bords du lac Eibsee en Bavière. Catherine et Fanny se disputent la mémoire de Pierre. Bataille à propos de lettres, de souvenirs, en vérité bataille de l'amour-haine. Catherine « fait le suicide » de Fanny.

Toute l'œuvre est une mise en scène de la mort sous ses divers masques : le désir, l'inclination sur soi, l'impuissance, l'abîme du plaisir (j'en suis aux petits personnages). La baronne Fanny figure, avec toute l'indécence souhaitable, l'ogre érotique ; Pierre Indemini — une nuance pervertie peut-être de l'amour courtois. Quant à Catherine, elle ne saurait être définie ou c'est d'un mot. Nous pouvons croire qu'elle *donne* la mort — étant innocente ; qu'elle *joue* de la sexualité — étant froide. Elle est la mort toute simple...

« Hécate » dessine une allégorie — telle toutefois que peut la composer un homme de notre temps, c'est-à-dire ambiguë. Catherine est toujours en scène, mais on dirait que son interlocuteur la domine : femme qui s'en tire par des coups de tête, mais la patience, et la décision, semblent ailleurs. C'est Pierre Indemini qui fait retraite ou en tout cas impose la séparation à Catherine. C'est la baronne Fanny qui attache à sa fortune, par des liens répugnants et doux, tous les hommes et toutes les femmes (les vide parfois comme la mante religieuse), qui fixe Pierre et Catherine à Vienne, éveillant ou réveillant en eux la corruption. Cependant, à mesure que l'histoire se fait, nous comprenons que Catherine seule mène le jeu, que toutes choses arrivent par elle. Nous nous rappelons que le roman est placé sous le signe d'Hécate, la déesse lunaire qui préside aux enchantements. Il faut donc que Catherine ait une force qu'elle ignore : qui agit sur les autres et d'abord sur elle-même. Mais quelle force et qui vient d'où ? Pierre Jean Jouve ne se dérobe pas à la question. Il y répond en partie dans « Hécate », où l'ornement baroque jeté sur le récit ne distrait pas de l'esprit souterrain — entièrement dans « Vagadu », qui compose avec « Hécate » l'« Aventure de Catherine Crachat ».

Aux prises avec les instincts capitaux — dont les plus cruels sont ceux qu'elle incarne inconsciemment — Catherine *ne peut* se plier à cette fatalité et il semble que nous, spectateurs, ne le puissions pas non plus. Il y va de son salut — et de notre propre exigence à l'égard d'une forme moderne du tragique. Nous voulons vivre l'expérience de Catherine avec elle parce que c'est d'elle que nous attendons l'explication. « Vagadu » est donc, psychologiquement et esthétiquement, *nécessaire* ; « Vagadu » signifie tout à la fois le vrai combat de Catherine — et la libération intérieure, la résolution.

Pour écrire son ouvrage, Jouve s'est inspiré d'une opération d'analyse qui avait eu lieu — et essentiellement de la série des rêves. Mais il ne s'est point soucié de décrire cette opération, de « faire progresser aucune science ». La substance des rêves : Jean-Paul et les romantiques allemands y ont régulièrement puisé, Hugo, Nerval et Baudelaire l'ont illustrée, ils se sont laissé porter par elle — elle a finalement englouti l'auteur d'« Aurelia » : cependant Jouve en fait une *énergie* et la transforme en roman.

« Je suis un artiste, dit-il. Je ne m'intéresse qu'au cas

humain et à la beauté qu'on peut faire avec peines et joies humaines. J'avais un document, d'une réalité incontestable ; et non seulement incontestable mais bouleversante. Je découvrais un joint entre le document et Catherine. Le principe de mon travail était assuré, les données d'un roman étaient réunies. J'exposais les états de Catherine. Ces états retentissaient sur les suivants, déterminaient des changements et des explosions dans les êtres voisins d'elle. Du point de vue de l'art du roman, il suffisait que le *sens* de ce que traversait Catherine fût *éprouvé* par le lecteur et déterminât en lui la réaction en chaîne des émotions. Catherine est dans un tunnel, son propre tunnel, elle y lutte, elle doit en sortir. »

Ainsi l'instrument (l'analyse) n'a pas tant d'importance que la *mobilisation* des passions. Le roman use des passions à l'égal d'événements ; progresse avec elles ; nous les donne à connaître par contact. Il est la « tragédie du cœur de Catherine ». Ces mots doivent être pris à la lettre : Catherine forme la scène et les acteurs. Catherine à tous les âges, sous tous les costumes, dans toutes les postures ; spontanée, réfléchie, naturelle, déguisée, endormie, éveillée, immobile, en tous lieux ; infantile, provinciale, intrigante, conventionnelle, vulgaire, de la plus grande qualité, élégante, inquiétante, sublime ; bien française ; belle, belle ; perpétuellement malheureuse ; toutes les épaisseurs de Catherine. Catherine pure à la fois et impure : qui rabat sa jupe sur les genoux de Catherine. Qui emploie peu de gros mots et est remarquablement précise comme si elle les employait. Qui ne dit pas d'un personnage : « Maintenant que je l'ai rencontré, ma vie va changer du tout au tout » mais « Parce que j'avais tels et tels besoins de jouir et de souffrir organisés en plusieurs figures immuables, alors je l'ai rencontré ». Qui n'a pas assez de héros, qui les rêve, et projette ses rêves sur les autres pour agrandir encore le théâtre : ajoutant à l'érotique la matière et la lumière onirique. Qui lutte avec l'ange...

Nous succombons d'abord au vertige, au jeu des miroirs ;

rien ne nous paraît véritable ; parmi tant de reflets, nous cherchons la vérité de Catherine. Puis les figures et les états s'organisent ; nous voyons « l'affranchissement des erreurs et des fautes », « le lavage profond des expériences » ; nous reconnaissons la descente de qui plonge en soi, la remontée de qui a trouvé l'issue — les deux mouvements de toute délivrance. Tout à la fin, nous comprenons que Catherine est sauvée.

En même temps, nous sommes sensibles à l'art du roman : à la coïncidence d'une forme *nouvelle* avec un objet *classique*. Ce qui nous émeut, ce n'est pas la brutalité des choses découvertes ni même l'échelle où elles s'établissent — tantôt nous sommes au plus bas et tantôt au plus haut —, mais le nombre infini des combinaisons, sous un éclairage sans cesse modifié, dans une affabulation et dans une langue proprement romanesque. Un « Roman de la Rose » des profondeurs, conduit dans le mouvement de la « Pandora » de Nerval — on sait que c'est celui de la lucidité froide précédant et suivant l'aliénation de soi — en plus : la souffrance, car ces chutes, ces arrachements, ces projections se font dans la chair. Par dessus tout, l'indicible beauté des rêves...

Les « Histoires Sanglantes », qui introduisent le cycle d'Hélène, forment transition avec le précédent. On y voit partout la trace des rêves. Comme ces « short stories » précèdent de peu « Sueur de Sang », nous pouvons supposer que Jouve « s'entraîne à rêver afin d'utiliser le rêve ». Il y a mélange de rêveries, de bribes d'inconscient, de souvenirs d'enfance, de tentations de l'âge d'homme, d'inventions à partir de petites ou de grandes choses, le spectacle de la rue ou une musique inouïe. Des paraboles, chargées du désespoir de Kierkegaard, sont soudain éclairées d'« états d'enfant » et de la nostalgie du Paradis. L'humour n'est pas absent. Gribouille va se noyer dans l'eau du « rivage » des péniches parce que, sous l'émotion que lui a donnée une fille d'estaminet, il a perdu le parapluie sacré que son père lui ordonne de porter, et se trouve trempé de pluie...

L'un des récits, « Les Allées », contient la belle capitaine H..., qui va devenir Hélène. Je parlerai d'Hélène, de cette femme infinie et de toutes celles qui sont dans sa profondeur, mais il faut montrer d'abord l'extraordinaire horlogerie de « La Scène Capitale ».

« La Scène Capitale » est le roman le plus parfait de Jouve, c'est aussi celui qui vérifie le mieux la *liberté* que le romancier n'a cessé de garder à l'endroit de ses propres découvertes. Une fois de plus, la Mort et l'Amour luttent à armes égales — et dans leur dos se devine la Faute qui donne le sens ; une fois de plus ces sœurs ennemies composent une fable qui tour à tour révèle et dérobe la vérité.

Le livre comprend deux histoires distinctes par le lieu et par les personnages, mais si semblables dans leur action mystérieuse qu'on peut les tenir pour parties du même ouvrage. Offrant le même thème, « La Victime » et « Dans les Années Profondes » le dénouent de façon différente. On dirait les panneaux d'un diptyque : le premier montre une damnation, le second une délivrance ; entre les deux un lien particulier comme si une réponse dût être donnée à une question : tout de même, dans la peinture, on voit une Passion éclater sourdement entre Adam et Eve étincelants et nus, l'Ange de la Mort et l'Ange de la Vie se regarder, les yeux vides, comme en esprit.

La trame de « La Victime » est empruntée à un apologue de Luther (« Mémoires de Luther écrits par lui-même », de Michelet) :

Il y avait à Erfurth deux étudiants dont l'un aimait si fort une jeune fille, qu'il en serait devenu bientôt fou. L'autre, qui était sorcier, sans que son camarade en sût rien, lui dit : « Si tu promets de ne point lui donner un baiser et de ne point la prendre dans tes bras, je ferai en sorte qu'elle vienne te trouver. » L'amant, qui était un beau jeune homme, la reçut avec tant d'amour, et il lui parlait si vivement, que le sorcier craignait toujours qu'il ne l'embrassât ; enfin il ne put se contenir. A l'instant même elle tomba et mourut. Quand ils la virent morte, ils eurent grand'peur, et le sorcier dit : « Employons notre dernière ressource ». Il fit si bien, que le diable la reporta chez elle, et qu'elle continua de faire tout ce qu'elle faisait auparavant dans la maison ; mais elle était fort pâle et ne parlait point. Au bout de trois jours, les parents allèrent trouver les théologiens, et leur demandèrent ce qu'il fallait faire. A peine ceux-ci eurent-ils parlé fortement à la fille, que le diable se retira d'elle ; le cadavre tomba raide avec une grande puanteur.

La scène est donc en Allemagne, au moyen âge (cet interminable moyen âge allemand), à une époque où les villes demeurent des places-fortes qui donnent sans transition sur la campagne, où les étudiants tranchent absolument sur le reste du peuple, où les théologiens en leurs avis l'emportent sur les médecins, les Francs-Juges, justiciers secrets, sur les magistrats, où les sorciers pratiquent un art imité du Malin. Mais, à le mieux considérer, c'est un lieu « surnaturel », qu'on oublie vite au profit de la tragédie.

Celle-ci comprend deux grands moments. Il y a les premières pages, toutes gonflées de la fureur érotique de Waldemar et de l'attente amoureuse de Dorothée. Lui crie et gesticule sur les marches de la tour Campane ; elle, s'éveille nue, plus belle que le matin, en la maison de son père.

Le drame une fois accompli, l'odeur de « cadavre ancien » répandue par toute la maison, il y a, surtout, le débat « dialectique » des théologiens. La fausse résurrection par le sorcier — ou le prolongement entre vie et mort — suivie de la vraie mort, cela permet-il le salut de Dorothée ? Telle est la question disputée dans la salle du Consistoire, tandis que les colombes battent des ailes sur le jardin de l'école.

On a affaire ici à un mythe qui a pu recevoir créance dans les esprits du seizième siècle en tant que réalité et qui est transporté par le récit de Jouve sur le plan psychique profond où il reçoit une réalité autre. Le récit doit être considéré selon l'esprit de l'allégorie quand il coïncide avec l'histoire de Luther, quand il dépend du milieu de Luther ; mais il doit s'en échapper aussitôt. Les thèses théologico-psychologiques laissent apercevoir le *double jeu*. Le Docteur Pommer, qui a sommé le diable de sortir, tend à condamner et les autres avec lui. C'est l'explication ancienne manière, XVIe siècle. Le Docteur Capiton y oppose une explication « par la psyché », plus proche de nos représentations modernes — ou prévoyant nos représentations futures. Il affirme que l'état de Dorothée après le baiser fut une attente (hystérique) entre vie et mort, à quoi la parole de Dieu a mis une fin naturelle : le dénouement véritable s'est donc passé *devant* les théologiens :

« *Quand vous avez dit : Pour le salut de son âme... Entre ou sors — Docteur Pommer — je pense que vous l'avez sauvée.* » *Ainsi parla à voix basse, en rougissant, Capiton.*

« *Hé bien je l'espère !* » *dit, complètement rouge lui aussi, le Docteur Pommer.*

Joë Bousquet a observé qu'en donnant à l'un de ses héros le nom de Waldemar, Pierre Jean Jouve avait devancé avec élégance les critiques amateurs de rapprochements trop faciles. Et en effet, dans « La Vérité sur le Cas de M. Valdemar », Edgar Poë s'attache uniquement au merveilleux. Une catalepsie magnétique arrête la mort ou plutôt elle la vainc ; au réveil la putréfaction a lieu d'un coup. Le côté physique du phénomène intéresse Poë, au lieu que Jouve s'occupe avant tout du phénomène psychique et même du cas en théologie. Un conte d'Achim d'Arnim, « Les Héritiers du Majorat », offre peut-être une analogie plus profonde. Il y est question d'une jeune fille morte depuis plusieurs années à qui un irréalisable amour a conservé l'apparence de la vie. Au moment où l'ange de la mort va déposer sur ses lèvres la dernière goutte d'amertume et enfin recueillir son âme, Esther contemple au-dessus de sa tête les acteurs de la première création, Adam et Eve : « C'est donc à cause de vous que je souffre ainsi ? » Et ceux-ci lui répondent : « Nous n'avons fait qu'une faute ; et toi, n'en as-tu fait qu'une aussi ? » Mais, comme Poë, Arnim prend parti. Dans « La Victime », autour de choses psychologiquement et spirituellement vraies, deux thèses s'opposent jusqu'à la fin. L'*art* laisse à dessein l'énigme entière, le temps vague, et cette équivoque de couleur humaine représentée par Pommer.

Dirai-je que de la première à la deuxième partie de « La Scène Capitale » le changement de lumière est tout de suite perceptible ? « La Victime » évoque un art tourmenté, des couleurs brûlantes : Urs Graf ou Grünewald (mais le portrait de Waldemar est de la main de Dürer). La grâce de Dorothée n'en brille que mieux : belle et douce entre le noir sorcier et le chevalier en quête de la puissance virile, elle offre l'image de l'amour plus fort que la mort. Dans les « Années Profondes », l'élégance de la composition, l'harmonie des figures et des paysages annoncent l'Italie, mais l'Italie du Nord. Si la couleur déborde de volupté, le dessin demeure précis, on reconnaît la finesse et la spiritualité de Mantegna. Cependant la musique fournit une comparaison plus juste. Le lecteur des « Années Profondes », qui laisse les phrases se former et retentir en lui, entend à coup sûr la voix cruelle ou souriante de Mozart. Rien ne rappelle mieux un certain style de Jouve, la lumière où baigne le versant sud des Alpes, au Bergell ou au Tessin, que la musique d'un Mozart située, comme sa naissance, sur la route de Vienne à l'Italie. On parle d'un style italien à la Mozart ; ne peut-on parler d'un style italien à la Jouve ?

Le titre des « Années Profondes » est pris aux « Fusées » de Baudelaire (« A travers la noirceur de la nuit, il avait regardé derrière lui dans les années profondes... »). L'histoire est celle des amours d'Hélène, femme au plus beau rayonnement de son âge, pour un adolescent, le gentil, le sauvage Léonide. Ceci survient dans un pays magique, que je dirai plus loin. Hélène meurt dans les bras de Léonide à peine accompli le rite amoureux.

Pur mouvement d'amour, Quête d'Amour : la chevelure d'Hélène, où Léonide parfois pose un baiser, « cette mort divine », la chevelure joue le rôle du Graal. Sur son chemin, le héros rencontre des êtres tout pareils à des paysages de la Carte du Tendre, l'un dressé comme une tour qui aurait nom « Grand Cœur », l'autre secret et tourmenté comme une mer qu'on dirait « Dangereuse ». C'est le comte colonel de Sannis, le mari d'Hélène, « homme-donjon sur lequel la femme doit s'appuyer », lui la laissant libre ou plutôt responsable. Léonide l'admire et le hait pour de telles vertus. Bien plus tard, il saura ce que cachait cette force d'âme. C'est Pauliet, le neveu d'Hélène, dont Léonide se montre tout de suite jaloux, moins à cause du présent que d'un certain passé. Les propos de Pauliet trahissent une grande expérience des femmes, de toutes les femmes — et une connaissance particulière d'Hélène, qui semble le fruit d'amours anciennes : par dessus tout quelque chose d'avide et de frénétique, une peur « que la soif pût être étanchée ».

La « scène capitale » est sans doute l'acte érotique ; c'est aussi l'union de l'éros et de la mort (ou de la vie) telle que la femme la réalise dans une certaine logique de son être. Cependant nous ne pouvons nous borner à Hélène ni même à la substance intime qu'elle forme avec Léonide. Il faut considérer encore le mari d'Hélène et Pauliet. Tous changent en s'émouvant l'un l'autre. Leurs agirs réciproques, les niveaux différents de l'action, ce multiple jeu : ils sont la loi d'un tel univers.

Monsieur de Sannis hait sa femme. Il poursuit à l'intérieur d'elle une guerre d'anéantissement. Sa haine a déposé en Hélène un principe de mort. Cependant Hélène intègre la mort, et même à la fin elle « franchira » par la mort.

Pauliet enseigne à Hélène la volupté. Figure androgyne, joli garçon qui tousse avec une élégance d'artiste et célèbre « toutes les formes et tous les sexes » : on le devine très propre à cet enseignement. Hélène cependant lui résiste comme elle résiste aux forces de destruction de son mari. Elle se penche sur l'abîme et n'y tombe pas.

Mystère glorieux d'Hélène ! Ce sont Monsieur de Sannis et Pauliet qui l'élèvent, qui l'émancipent, qui la font digne de son destin. Comme un mauvais sort, ils lui jettent la mort et le plaisir. Elle, pareille au poète, crée la vie avec la mort et change le plaisir en don du ciel. Animée d'une double expérience, elle se livre à Léonide comme au fils. Elle meurt sans doute : mais son amant vivra dans l'éternité. Elle l'a vraiment mis au monde.

« J'espère, dit Jouve, que mes romans expriment un « sens de la mort ». En tout cas mes personnages cherchent la direction de la mort. — La mort, mystère intégral de l'homme (car nous ne savons *rien* de la mort), et la mort comme raccourci de vie ; la mort enfin comme espérance invincible. En écrivant la mort de Michele Cantarini, le suicide de Jacques de Todi, ou celui de Fanny Felicitas, la mort d'Hélène au sein même de l'amour, je tremblais toujours *personnellement,* et mon émotion demandait plusieurs jours pour se calmer. »

... L'univers de Jouve. La description que j'en ai tentée prend naturellement appui sur les romans, sur les textes en prose. Je hais ces commentaires qui déchirent les poèmes au gré du discours, je suppose que le poète les hait davantage. « C'est que, dit Valéry, les plus beaux vers du monde sont insignifiants ou insensés, une fois rompu leur mouvement harmonique et altérée leur substance sonore... Ce sont des préparations anatomiques, des oiseaux morts. » On ne peut éviter toujours les citations partielles (qui gênent déjà venant d'un roman), du moins faut-il en poésie les réduire à l'indispensable et renvoyer à l'œuvre. Ce livre, qui est d'abord une anthologie, rend ma tâche moins malaisée, s'il n'ôte pas la tentation.

L'univers poétique est — dans ses structures visibles — le même que l'autre, souvent il préexiste ; sans doute est-il plus riche, plus saisissant — et jusqu'à un certain point mystérieux. Mais les moyens d'approche sont différents. C'est Jouve lui-même qui nous en avertit :

« Je voudrais être pris simplement, dit-il, sans spéculations, pour ce que j'ai donné avec toute la force de mon cœur. Je demande à être jugé sur les *pièces* du chant — sur les pièces mêmes, une pièce à la fois, et pour le *chant.* Je voudrais que le spectateur ne s'occupe pas des formes ou des opérations psychiques qui se trouvent derrière. Tout vrai amour donné au poète doit l'être avec volonté d'élargir les premières impressions, d'aller plus loin. »

A peu d'exceptions près, « Sueur de Sang » et « Matière Céleste » sont formés de textes brefs ; le mètre en est libre, la composition serrée. Il n'y a ni rime ni assonance. Si j'ajoute que les images ont un éclat presque douloureux, et qu'elles peuvent s'opposer à l'extrême, on comprend que le mouvement du poème ne se relâche point. Ce mouvement échappe quelquefois à l'œil (bien que les enjambements et déjà la coupe du vers doivent nous avertir), il n'échappe pas à l'oreille. Le chant, auquel Jouve aspire comme au principe de toute poésie, il s'accomplit ici nécessairement. Je ne prétends pas qu'il soit toujours harmonieux. Mais il existe sans faute, car il donne naissance au poème. Il est l'unique tension entre les mots.

« Sueur de Sang » et « Matière Céleste » sont des chaînes de symboles. Quelques-uns parmi eux appartiennent à l'inconscient universel ; la nouveauté des autres surprend d'abord, bientôt nous les trouvons inséparables du dessein de l'œuvre. Cependant qu'il soient issus du fond commun ou que Jouve les invente, ils nous *touchent* sur le double plan de l'image, de l'image poétique — et d'un inconscient qui s'adresse à notre inconscient.

Les symboles, nombreux, ne paraissent pas avec la même fréquence. Il en est de privilégiés : le sang, l'œil, la chevelure ou la toison, l'arbre, l'œuf, le cristal, la perle, le cerf, le serpent...

Le choix des symboles importe moins peut-être que leur force de pénétration ou leur dynamisme. Jouve accroît de beaucoup cette force en joignant plusieurs symboles. Par exemple le cerf. La symbolique du cerf est confondue au blason de l'humanité. Le cerf suit Hécate à la course, soupire avec le Psalmiste après les eaux du divin, fuit devant les chiens du preux Roland, obéit aux métamorphoses du poète. Maurice Scève se compare au « cerf en campaigne » lorsqu'il se sent fort et assuré ; Philippe Desportes — lorsque la vie le quitte :

Je me suis vu muer pour le commencement
En cerf qui porte au flanc une flèche sanglante
Après je devins cygne et d'une voix dolente
Je présageai ma mort, me plaignant doucement.

Mais ce sont là jeux poétiques. Jouve (qui a traduit, mieux qu'on eût jamais fait, quelques pièces des « Sonnets » de Gongora) n'est pas du tout un précieux. Les mots chez lui ne se séparent pas de la signification ou de la figure profonde. Il agrandit le symbole pour y comprendre la vie et la mort de l'éros, l'expérience orphique ; d'autre part, il impose l'image du Christ. Le cerf devient un complexe de symboles : où la merveilleuse blessure et la délivrance surgissent à plusieurs niveaux : l'existence toute simple, la passion amoureuse, l'arborescence mystique.

J'ai dit l'allégorie que suggère « La Scène Capitale » : l'Amour — ou la double Mort. Elle use de deux emblèmes — l'œil, la chevelure — autour desquels « La Victime » et les « Années Profondes » se sont formés. L'apparition de l'œil se produit au moment de la rage érotique de Waldemar :

... Mais si la femme, ouverture rose et mielleuse du péché, a projeté vers toi l'œil sombre et versé sur toi une seule larme de son interne sécrétion et, par le même mouvement, l'a refermé ? Si, brûlé, obsédé par cette larme, tu ne peux plus atteindre jamais l'œil de la femme ? Si tu te tords de la chaleur qu'elle a déposée en toi, elle maintenant froide et intacte ?... Ne pouvant extirper la faute, ne pouvant céder à sa jouissance tu délires, dans la faute, gardant la faute contre toi, la faute et non pas la femme !

L'œil, donc, étale tout de suite sa signification sexuelle. La chevelure a une lumière qui la défend. Elle paraît d'abord comme chevelure — il est vrai singulière. De teinte fauve ou cendrée, elle est « à la fois pleine comme un nid de serpents et mousseuse ou rayonnante comme du soleil ». Elle *charme* Léonide dont elle occupe toute la pensée et bientôt guide toute l'action. C'est un « feu souterrain très violent », un « feu noir » auquel on rêve de se brûler. Les aventures du héros se règlent sur les progrès d'une connaissance : progrès mystérieux, liés au mystère d'Hélène, au pouvoir surhumain de la chevelure. Un jour qu'il se penche sur elle, Léonide a cette vision : l'image d'une chose très rouge dans les cheveux. La chevelure dénude brusquement son secret.

Ainsi, l'œil, la bouche, la chevelure composent un symbole nouveau, l'un des plus aigus de la poésie de Jouve. Une pièce de « Sueur de Sang », qui figure dans l'anthologie, « L'Œil et la Chevelure », donne un exemple de ce dynamisme symbolique. En voici un autre, pris à « Matière Céleste », dans la partie « Hélène » :

Etrange ! ô je suis encore une vraie fois
Contre ton sein ton globe mystique au parfum
Plus suave que la rondeur du printemps
Et que la mort rosée chargée de veines,

Ton mamelon de femme des vallées
Mon Hélène ! et je vois gonfler dans tes cheveux
La rose magnétique et pourpre de ce monde
Dans la touffe effrayante et des tresses d'enfance
Le merveilleux sentier en gloire et en fumée
La fente de la vie la rose de la langue.

Par le détour de l'œil, de la « rose des ténèbres », nous sommes ramenés à l'obsession de la faute : le triangle amour-mort-faute se ferme de nouveau. Toute l'allégorie s'inscrit dans ce triangle où tantôt j'aperçois l'œil de Dieu, qui fixe le monde comme il fait dans les cabarets (« Dieu vous voit »), et tantôt le triangle sacré de la femme où gît l'œil sombre et le péché.

A la dernière page des « Années Profondes », l'auteur parle d'états de foi, de désespoir, d'annonciation, qui le mettent en présence d'Hélène, l'entourent et le pressent comme un vol d'oiseaux : « Je voulus fixer les états qui me faisaient tant de bien, ajoute-t-il, les écrire sur du papier. Hélas, j'ignorais les signes, et ce qu'il fallait fixer. Je n'y parvenais pas. Mais une patience nouvelle et profonde se formait aussi... »

Cette patience a porté ses fruits, ces signes ont été inventés : Pierre Jean Jouve a écrit « Matière Céleste » (il faut lire : Matière céleste dans Hélène).

... « Kyrie » commence un autre cycle. Il magnifie des thèmes esquissés dans « Sueur de Sang » (« L'Orage changé en Femme »), en propose d'autres (« Les Quatre Cavaliers »). Il porte encore le nom d'Hélène, mais c'est pour un adieu.

Adieu. Les troupes de cristal
La matière céleste
Se sont réunies en haut du dernier jour
Les innombrables ombres d'Hélène voyagent
Sur ce pays poussées par le souffle de Dieu

Tout est profond tout est sans faute et cristallin
Tout est vert bleu tout est joyeux et azurin.

Cependant le mythe d'Hélène ne cessera de ressurgir sous d'autres formes et sous d'autres vocables : dans « Résurrection des Morts », dans « Vers Majeurs », dans « Langue ».

IV

LES romans de Jouve offrent des caractères particuliers, qui intéressent la création romanesque et aussi la démarche de l'écrivain. Ils nous éclairent indirectement sur la poésie, dont les voies demeurent mystérieuses. J'aimerais parler ici de la langue et de l'affabulation.

Il faut préciser tout de suite que ces romans ne sont en aucune manière des romans poétiques ou des proses poétiques. Ils ont en commun avec la poésie : l'univers de Jouve, une partie des thèmes et des symboles, une « indicible vérité ». Il arrive, nous l'avons vu, qu'un poème cite le nom d'une héroïne de roman : dans ce cas il ne s'agit plus du tout d'un personnage saisi dans sa réalité psychologique et dans le temps du récit, mais d'un mythe qui, par-delà la mémoire, transporte désormais certaines qualités d'émotion.

La méprise des lecteurs et des critiques trop pressés vient de ce que beaucoup de romans aujourd'hui sont écrits dans une langue inauthentique, fort éloignée d'un art romanesque véritable. Ce sont des documents, des reportages, des « inspirations de hasard » : entre l'objet et la forme filtre un jour que des techniques minutieuses ou les agréments de la rhétorique ne masquent point. De là que nous donnions aisément dans un piège. Distinguant la poésie, art du langage, et le discours ordinaire — auquel nous assimilons le roman, ce à quoi nous invite aujourd'hui la plate suffisance d'un prétendu réalisme —, lorsque nous rencontrons un roman qui triomphe de ce discours et de cette intelligibilité pratiques, nous sommes d'abord sensibles au langage — et nous le nommons poésie. Nous découvrons un ouvrage qui construit la fiction avec « les facilités de la prose » et se veut, comme le rêvait Mallarmé, « architectural et prémédité » : il nous semble avoir affaire à un art inconnu, nous ne le reconnaissons pas.

Les romans de Jouve sont des romans au sens propre précisément parce qu'ils incarnent une vive conception du langage. Maîtres du réel et non plus soumis à lui, ils se constituent à mesure dans la langue, se font sous nos yeux. Ce qui n'entraîne nullement la non-signification, la dissociation spirituelle des phrases et des mots. Le roman a pour forme son fond même. L'intrigue, le lieu, les caractères appartiennent naturellement à la forme.

Reste que ces romans s'écartent à maint égard des modèles accoutumés. A la fois dans l'inspiration et dans l'expression.

Ils offrent des chapitres courts ou très courts — moments de l'existence ou de la sensibilité des personnages — que séparent des intervalles de durée. L'ordre de ces chapitres varie fort : il n'est pas forcément selon le temps, plutôt selon l'âme ; de même le sens. Il ne s'agit pas pour autant de tableaux ou de réflexions ou même d'instants privilégiés ; Jouve fait œuvre de romancier ; il n'escamote ni la réalité ni le mouvement. Seulement la division dont il use, qui conserve les articulations indispensables, évite les *scènes à faire*, les passages ennuyeux qu'il y a dans tout récit. J'observe en revanche que le monologue intérieur, le rêve, le dialogue — qui ailleurs ralentissent la narration quand ils ne la suspendent pas — la font progresser ici : cela est d'une grande habileté.

Extérieurement, l'histoire avance par à-coups — encore qu'il existe des exceptions, en particulier les « Années Profondes ». Mais sous cette apparence d'impromptu, d'invention immédiate, nous distinguons un glissement continu, une vérité rigoureuse, une organisation qui se poursuit à travers toutes les mesures du texte. L'ensemble fait songer à l'opéra d'Alban Berg (auquel Jouve a consacré un commentaire important) : des scènes brèves prises dans une construction serrée.

Le style à son tour témoigne d'une unité que mille mouvements contraires, conduits d'une main profonde, ne rompent jamais que par jeu. Cette éloquence complexe, dont parle Gaëtan Picon, mais j'aime mieux dire cette prose intérieurement organisée, elle figure une perpétuelle rupture de ton qui est elle-même un ton. Nous voici loin du moulin à paroles des romans ordinaires. Même dans l'« Aventure de Catherine Crachat », où se trouvent plusieurs styles, où la matière verbale est sans cesse transformée, où des couleurs, des airs de musique distincts accompagnent les personnages, Jouve soumet les puissances vives à l'ordre d'un langage pur. « Chaque phrase raconte pour ainsi dire » : c'était le vœu de Stendhal.

L'affabulation doit être vue de divers points.

Jouve dans son journal fait deux observations. Il remarque qu'empruntant quelques-uns de ses personnages à son expérience vécue, les altérations qu'il leur fait subir, pour les éloigner de leur modèle, n'ont d'autre effet que de les rendre « plus pesants de vérité » : ce qui revient à dire que sa pente naturelle est à l'efficacité, à la « sur-réalité ». Il constate d'autre part qu'un personnage construit sur le paradoxe, sur une apparente fausseté, a plus de chances d'être vrai ; qu'en tout cas cette « définition raccourcie et violente » offre plus d'intensité.

Ces observations sont certainement justes. Il est étrange que Jouve les complète par la considération qu'un tel personnage est de préférence créé par le romancier poète — la tendance du poète étant « de faire le personnage unique, le personnage symbole ». L'œuvre de Jouve me paraît contredire une telle vue.

Non seulement chaque roman met en scène plusieurs personnages dont trois ou quatre jouent un rôle essentiel, mais il doit son existence à la tension qu'il institue entre eux. Il y a sans doute un personnage principal ou plutôt magnétique, formant centre et appel pour les autres — c'est presque toujours la femme. Mais, sauf dans « Vagadu » où en effet ils ne sont guère plus que des émanations de Catherine, les divers personnages demeurent autonomes, complexes, ils possèdent cette sorte de mystère qui les rend opaques au regard de l'héroïne comme au nôtre. On ne peut dire non plus que ces romans sont des romans linéaires où toute l'action serait envisagée par le seul romancier ou par son substitut féminin ; Paulina et Catherine sont vues tour à tour du dedans et du dehors — et par les autres ; Hélène est vue par les yeux de Léonide, qui du reste écrit l'histoire ; « Le Monde Désert » et « La Victime » distribuent également les rôles et la lumière. Le probable est qu'aucun personnage ne se soutient tout à fait si on l'isole : il faut le maintenir au contact des autres — desquels il reçoit une partie de l'existence et parfois la signification. Comme l'écrit Jouve lui-même : « La portée d'un personnage peut désormais n'être que le reflet du besoin d'un personnage voisin. Tout est véridique mais rien n'est solide... La comédie est générale, et cette comédie est *véritable*.... » Une telle intrication et l'ambiguïté qu'elle entraîne devraient caractériser le roman de ce temps ; mais j'en vois peu d'exemples, du moins en France ; le meilleur serait fourni par « L'Idiot » de Dostoïevsky où trois personnages — le prince Muichkine, Nastasia Philipovna et Aglaé — figurent jusqu'au bout des êtres différents parce qu'ils se font et se défont l'un l'autre. A cet égard, on relèvera encore que Jouve introduit souvent, dans la relation amoureuse, un personnage tiers qui en modifie la substance. Entre l'amant et l'amante, aimé par les deux, haï par les deux, c'est l'intercesseur : qui, note Jean Wahl, est en même temps le censeur et l'entremetteur. Dans certains cas (nous avons vu qu'il en va ainsi dans les « Années Profondes »), cet intermédiaire se dédouble. Il arrive aussi qu'un même personnage soit tour à tour acteur et figurant, ou d'abord acteur, puis son double : rappelons-nous « Le Monde Désert ».

Quant à la symbolique, il ne faudrait pas que mon commentaire donne à penser qu'elle investit l'œuvre de toutes parts. Jouve avoue (ou craint) que le poète, pour une fois romancier, consacre d'instinct le personnage-symbole. Mais l'universalité des symboles jouviens — qui traversent l'Ancienne et la Nouvelle Alliance pour ressusciter aujourd'hui (nous sommes de nouveau au temps des Juges) — et leur enracinement au cœur de l'homme — où ils vivent sous deux ou trois couleurs dominantes — ne créent-ils pas plutôt les ressorts psychologiques et les unités nouvelles du drame, que le stéréotype du héros ?

Jouve, il est vrai, porte le mythe en soi ; faisant œuvre poétique ou romanesque ou critique, il ne peut que projeter son esprit dans ce qu'il écrit ; toute autre démarche, à supposer qu'elle fût possible, serait précisément l'artifice. La présence du mythe est donc nécessaire : elle fait partie du génie de l'écrivain.

Au surplus, Jouve se divise. Il dialogue avec soi-même, c'est-à-dire avec son doute, c'est-à-dire contre son ennemi. Il s'incarne dans plusieurs personnages. Il y a des traits de Jouve dans ses héroïnes : dans Paulina (il dit, en démarquant Flaubert : « Paulina c'est moi ») et dans Catherine. Si nous ne trouvons pas Jouve dans Hélène, c'est que le personnage est composé avec trois figures de femmes venues de régions différentes de sa vie, c'est surtout que Léonide accomplit quelques-uns des gestes que Jouve a accomplis avant lui et qu'une partie de son sentiment profond vient de l'auteur. Jouve inspire encore le personnage de Luc Pascal, devenu le Mongol dans « Vagadu ».

Cependant l'état de dialogue est dans tous les personnages. Il y a un premier partage — que crée la réflexion. Nous voyons agir l'héroïne et nous entendons sa voix intérieure. Il y a ensuite le regard d'autrui. Puis vient le dialogue lui-même : où les êtres se dévoilent, se retournent, expulsent l'autre qui est en soi. Il y a encore le dialogue avec l'interlocuteur invisible ou avec le « spectateur ».

Enfin, il y a les masques. Ceci, qui est le plus important, se laisse moins aisément fixer. A première vue, les personnages de Jouve trahissent les sortes de contradictions qu'on aperçoit dans tous les romans : une complexité, une obscurité ordinaire. Cependant leur attitude en certaines circonstances nous donne l'éveil : elle n'est pas seulement différente de ce qu'elle était l'instant d'avant, elle témoigne d'une pensée, d'un sentiment, d'un instinct inconnu — ou en partie inconnu. Il nous semble saisir soudain l'une de ces oppositions dont le réel offre des exemples sans en être aussi prodigue peut-être que le roman. Nous constatons bientôt que le changement intervenu, si profond soit-il, n'a pas l'étendue entière du personnage ; ou que, la fin ayant changé, les moyens sont demeurés identiques ; ou que les moyens ont changé mais que la fin est la même. Bref, nous découvrons des systèmes qui tout en s'opposant se touchent ou qui se contredisent en allant dans le même sens. Nous voyons enfin qu'il s'agit, à deux ou à trois niveaux, d'une organisation intérieure et extérieure, parfaite dans chaque cas. Le personnage comprend plusieurs épaisseurs à peu près constantes : le plus souvent trois : ce sont trois êtres à transformation dans un seul.

Eclairons ceci. Dans « Lucien Leuwen », la prude Madame de Chasteller a eu la « mauvaise pensée » de prendre la main du héros et de la porter à ses lèvres : « Dieu ! s'interroge-t-elle. D'où de telles horreurs peuvent-elles me venir ? » En marge, Stendhal griffonne ces mots, qui ne quitteront pas ses brouillons : « For me. De la matrice, ma petite ». Voilà de beaux masques à n'en pas douter. Cependant, poussée plus loin, la division du personnage admet une sorte de circulation intérieure et la vie des masques. Ecoutant l'opéra de Mozart, nous pouvons supposer, après Jouve, que Leporello est « un élément irresponsable, non coupable, terrien, excrémentiel de la personnalité de Don Juan », que Don Juan est « un morceau du faquin Leporello devenu brillant, provocateur, mais atteint par la conscience du péché » : ainsi Leporello soulage Don Juan, Don Juan anime Leporello. Mais si, joignant le maître et le serviteur, sans toutefois les fondre, nous supposons que quelqu'un, mettons Kierkegaard, puisse être ce personnage nouveau, sans cesser d'être celui qui écrit le « Journal du Séducteur », c'est-à-dire : à l'éros absolu, et au péché sans histoire, ajoute encore un dédoublement d'ordre supérieur — nous donnons naissance aux masques.

Reste à leur insuffler l'existence — sans détruire la figure principale. Cela n'est possible qu'en appelant les caractères à tour de rôle et en suscitant les scènes et les rôles. En soumettant l'invention romanesque à une dialectique, le plus souvent invisible, mais qui parfois se montre comme au théâtre. Jouve, cependant, ne peut que multiplier les dialogues : saisir, scène après scène, Catherine et Pierre, Catherine et Fanny, Fanny et Pierre, sans compter les personnages secondaires — et les masques : Catherine I, Catherine II, Catherine III, Pierre I, Pierre II... Les combinaisons vont à l'infini. Autour des personnages gravitent les éléments nécessaires — mais pas une société. Il n'y a jamais que deux personnages en scène ; qui peuvent, c'est vrai, en évoquer un troisième — mais sous un déguisement. L'entremetteur, dont il a été question, il ne surgit pas en tiers : il va de l'un à l'autre. Les masques se reconnaissent entre eux ; ils ne connaissent pas tous les masques ; ils s'interrogent sur ces secrets. Léonide reçoit une première image, déformée, d'Hélène ; puis une autre, qui est une partie d'elle ; et encore une autre, qui est une autre partie ; enfin la dernière, qui est la plus vraie, sans que cette vérité abolisse les précédentes. Léonide se voit exclu du rapport Hélène — colonel de Sannis, du rapport Hélène —

Pauliet ; il tâche d'imaginer ces rapports ; il en souffre. Encore jouit-il d'un privilège : car Jouve, en lui confiant la plume, lui a prêté un peu de sa science.

Cependant mon commentaire accuse trop les choses. Il réduit la dramaturgie de Jouve à des mouvements violents, antithétiques, quand elle prend toutes les formes ; il arrache, pour les tirer au jour, des mécanismes qui ne se développent que dans la création ; il laisse entendre peut-être que les masques s'exhibent, alors qu'ils sont presque toujours sous-jacents, d'intensité variable, avec de brusques affleurements, des reflets, une frontière qu'on ne saurait dire.

On peut se demander d'où procède une telle affabulation. Je ne crois pas qu'il y ait une réponse simple. Il est possible que Jouve, au contact de la psychanalyse, ait pris l'habitude d'éprouver les êtres dans leur division, dans leurs luttes obscures à l'aveugle, avant que d'inventer le signe qui les unifie ou les libère. Il est possible que, s'inspirant de plusieurs modèles, il ait tiré parti de cette diversité en jouant d'une image contre une autre et en enrichissant, à partir du mythe qu'il avait en lui, des figures ou trop pâles ou qui ne communiquaient pas entièrement. Il est possible enfin que l'état de dialogue où se poursuit l'œuvre et que l'état de secret où se poursuit la vie forment un contraste qui ne saurait se dénouer aussitôt : l'art toujours apporte la résolution, mais non sans que le Minotaure et Thésée aient livré bataille, le Labyrinthe les couvrant tour à tour.

« En Miroir » comprend deux documents de grand intérêt. L'un, dont j'ai parlé, éclaire l'« Aventure de Catherine Crachat ». Il en raconte la genèse particulière et montre le système des rêves. Il analyse les rêves les plus significatifs des états de Catherine — de l'extérieur : car ils doivent trouver, dans la substance romanesque même, une explication suffisante pour l'émotion.

L'autre document nous met au centre de la création. Jouve

nous dit comment Hélène est née et s'est formée : c'est à partir des régions les plus intimes de son expérience ; comment elle s'est développée : c'est à partir des accidents de sa vie ; comment elle est morte : c'est dans le mythe et « dans la vie ». Si nous comparons les pages du journal au récit de Léonide — et aux poèmes qui portent le nom d'Hélène ou qu'elle traverse — nous découvrons une opération très profonde et très savante, une patience infinie : en même temps un mythe nouveau y est mis au monde, on dirait par hasard.

« A présent, dit Jouve, et lorsque j'y réfléchis, je crois avoir fait un peu l'opération de Gérard de Nerval, et avec moins de risque que lui : la coalescence entre des féminités différentes, arrivant à déterminer un seul être mythique qui les enferme toutes. »

Hélène fut composée avec trois figures de femme.

La première est une femme très belle que Jouve aima passionnément entre sa dix-septième et sa vingtième année. Elle se nommait Suzanne H... et était femme d'un officier à Arras. Elle pouvait avoir trente-cinq ans. Jouve, pour lui rendre visite, bravait le mari ; leur liaison toutefois n'alla pas au-delà du « baiser dans les cheveux ». Une allusion directe est faite à S. H... dans « Histoires Sanglantes », par le récit « Les Allées » : « N'était-ce pas là, sous ces grands ormes qui datent de l'époque de Vauban, non loin du Jardin du Gouverneur et de la Citadelle, que j'avais connu les rares fastes de ma jeunesse ? N'était-ce pas là, au son d'une noble musique, les Huguenots, Sigurd Jorsalfar, España, valeureusement exécutée par le IIIe Régiment de Génie, que j'avais marché dans la poussière, sanglé en un pardessus vert et suçant ma canne, et que j'avais fait de l'œil vingt mille fois à la belle capitaine H... ? N'était-ce pas là que j'avais rêvé à l'art, à moi-même et à l'amour ? » La Chevelure, qui est le symbole d'Hélène, fut conçue d'après la chevelure de cette femme, qui était prodigieuse — avec les mêmes reflets fauves.

La première liaison réelle de Jouve fut avec une femme

« dont l'âge s'éloignait plus encore du sien ». Cette femme fut une initiatrice bien différente de celle que Jean-Jacques a louée sous les traits de Madame de Warens. Jouve, vers 1923, voulut écrire un roman qui racontait cette histoire, mais il en détruisit le manuscrit.

L'image de la capitaine H... est pour ainsi dire aimantée par une troisième qui eut d'abord contact avec la jeunesse de Jouve et ressurgit plus tard. Il s'agit de Lisbé, connue en 1909-1910, rencontrée à nouveau en 1933 (cette fois sous le nom de Madame E. V.).

J'ai le bonheur de posséder « La Rencontre dans le Carrefour » : l'un des rares exemplaires qui subsistent d'un livre édité par Eugène Figuière en 1911 et que Paul Eluard m'a donné : il l'admirait justement. Si l'on excepte ici et là quelques pages qu'introduit l'illusion unanimiste, qui sont des textes d'une autre main, le roman nous touche par l'exactitude avec laquelle sont peints la vie physique de la passion et le combat d'un adolescent avec son cœur. Or ce récit, écrit à la première personne, dessine le portrait de Lisbé — quand elle est une jeune fille. Le héros (ou Pierre Jean Jouve) la croise chaque jour dans « l'Hôtel des Deux-Roses » où il vit, où elle-même, venue à Paris pour prendre des leçons de chant, paraît sous la garde de sa mère. Ils se connaissent bientôt, d'une connaissance tâtonnante ; il l'aime, mais elle l'aime davantage ; ils se livrent à des « jeux anodins pourtant graves peut-être ». Puis elle repart pour sa province et il se guérit d'elle.

Le héros, depuis « Les Allées », n'a pas beaucoup changé. Il regarde, dans les glaces, « son élégance un peu mince, ses cheveux longs autour de sa face, ses yeux pleins d'un continuel désir, ses mains fluettes... » Je remarque que Lisbé a également une chevelure blonde, mais d'une nuance tirant sur le cuivre ou l'or. Cependant une après-midi où il la voit descendre l'escalier de l'hôtel, « cachée par un manteau de loutre et un grand chapeau en mélusine », la chevelure représente à ses yeux « tout le corps bien vivant ». Une autre fois, elle vient à lui « comme un soleil ovale », et encore « portant son extrême blondeur comme un objet nouveau dans l'air de la pièce ».

J'abandonne ici la « rencontre dans le carrefour » pour une autre que provoque, vingt ans plus tard, un hasard prodigieux. Le poète, un jour de printemps, quitte un autobus sans raison apparente, pour refaire le chemin en sens inverse, de telle manière que, au coin même de la rue où est « l'hôtel des Deux-Roses », il se trouve en face d'une femme, qui est Lisbé. C'est maintenant une dame mariée (Madame E. V...) ; elle est (comme Suzanne H...) femme d'officier. En même temps très semblable à ce qu'elle était jadis : plus amoureuse certainement et comme pressée « que s'accomplît ce qui avait été promis ». Dans une correspondance clandestine, Jouve ne tarde pas à apercevoir certains mystères et combien Lisbé ou Elisabeth semble être cernée par des pouvoirs qui ne peuvent tenir qu'à la maladie et à la mort ; mais sa joie à elle est profonde. L'été suivant est mouvementé et presque dramatique. Jouve part pour la montagne. Après un accident de voiture (qui n'est peut-être pas fortuit), il s'arrête dans la vallée du Bergell, à Soglio, à quelques kilomètres du lac de Côme. Ici, dans un tumulte d'images et de sentiments, Lisbé et Soglio se joignent. Jouve imagine une Lisbé vivant dans ce pays ; il écrit la première version des « Années Profondes », qu'il déchire peu après ; il place pour la première fois le titre d'« Hélène » sur un poème qu'il remaniera ou détruira également. Au printemps suivant (celui de 1934), il revoit Lisbé à Paris, en deuil et plus admirable que jamais. Il la quitte cependant et passe l'été en Engadine. Il se trouve avoir loué une maison de chasse dans la montagne, maison provenant de cette même famille de Salis qui occupe un palais en bas du Bergell et une Cas'alta à Soglio, les deux belles choses qui l'avaient violemment séduit et transporté l'année précédente. C'est là pour lui le signe qu'il doit recommencer son récit, et l'histoire des « Sannis » commence. Il a la faveur de visiter le palais Salis à Bondo — ce sera le château de Ponte. Il écrit, presque d'un trait, le roman que nous connaissons. Obligé au retour à Paris, mais tout entier à son sujet, il se ravise à Genève, laisse partir sa femme et s'enferme, pendant plusieurs jours, dans une chambre de l'Hôtel de l'Ecu. Cet hôtel, qui est en face de l'île de Rousseau, a gardé son caractère victorien : des plafonds sculptés, des tapisseries à fleurs, des tapis pourpres... Jouve y achève « La Scène Capitale ».

Deux ans ont passé ou presque. Jouve apprend que Lisbé a été opérée. Il lui envoie son roman et il lui remet lui-même « Hélène » (recueil de poèmes qui a suivi le roman). Ces poèmes, on le sait, montrent « Hélène morte ». Un peu plus tard, après de « furieuses, de désespérées reprises d'amour », Lisbé meurt.

La première fois que Pierre Jean Jouve s'ouvrit pour moi de ce déchirant souvenir (au cours d'une de nos promenades de Dieulefit), je me rappelai la phrase de Stendhal : « On ne peut plus atteindre au vrai que par le roman », phrase écrite en marge du « Rouge » mais que lui inspirait peut-être une aventure précise. L'une des histoires italiennes, « Vanina Vanini », avait montré une jeune fille très belle, très fière, fille de l'homme le plus riche de Rome, qui tombait amoureuse d'un carbonaro échappé du Château Saint-Ange. La nouvelle avait paru dans la « Revue de Paris » de décembre 1829 : en janvier, une Siennoise noble venait s'offrir à Stendhal. C'était Giulia Rinieri, qui devint très vite sa maîtresse et inspira Mathilde de La Mole : ainsi l'imagination était de nouveau guidée par la vie à laquelle elle avait d'abord ouvert la voie.

Aux questions que je fis touchant la composition d'Hélène à l'aide de figures différentes, deux en somme, éloignées dans le temps, dont l'une, Suzanne H..., paraissait avoir donné la corporéité, l'autre, Lisbé ou E. V..., la psyché, Jouve répondit que des traits, non pas tant du corps et de l'âme, mais du mythe féminin avaient été employés :

« ...Surtout, dit-il, dans la mesure où ces traits rejoignaient ceux de certaine « Femme Noire » qui se trouve latente derrière Hélène. Madame E. V..., dont la vie présente quelques analogies avec celle de la capitaine H..., a joué dans mon esprit le rôle de sœur incestueuse. Cependant, quand le personnage d'Hélène de Sannis fut conçu et placé dans le cadre du Bergell, il prit aussitôt une autonomie absolue. La seule source d'affectivité conservée était la chevelure de la première image, celle de S. H... Encore faudrait-il dire que la chevelure « avait à présent des montagnes », ce qui changerait la signification. Dans le poème « Hélène » (première partie de « Matière Céleste »), j'ai agrandi jusqu'aux limites toutes ces images pour n'en plus faire qu'une Image : image centrale de la femme ».

Jouve m'avait parlé mille fois du Pays d'Hélène — de ce village de Soglio établi au midi de l'Engadine et tourné vers l'Italie :

« Imaginez un balcon, pas très large, au flanc de montagnes qui s'adoucissent. Prairies, forêts de châtaigniers, noyers énormes y abondent, autour d'une architecture étroite de ruelles et d'anciens palais. La merveille est que, par-dessus la vallée centrale qui se fait invisible, surgissent perpétuellement devant Soglio cinq dents rocheuses et glaciaires, les Scioria, qui appartiennent aux hautes montagnes d'en face : armée silencieuse, brillante et tragique, qui pour les yeux du village se dresse entre les arbres verts, la prairie heureuse, au milieu d'une végétation du Sud... »

Cependant lorsque j'y fus pour la première fois, Soglio me serra le cœur comme si en un instant la mémoire m'était rendue et arrachée pour toujours. J'étais ému par la beauté, par la beauté qui dispose sur un étroit théâtre — en se jouant ou en observant les règles, on ne sait — la plus extrême violence et la plus extrême douceur. Mais j'étais touché, plus que je ne puis dire, par la ressemblance de toutes choses avec leur modèle enfoui dans le temps.

Il n'y avait pas un toit de Soglio qui ne fût pareil à ceux de mon enfance imaginaire : montrant les mêmes galets en guise de tuiles ; pas un sentier qui ne rappelât les miens, qui sont d'un jardin chinois ; pas une pierre, pas une saxifrage qui n'appartînt à ma collection ; les herbes de la prairie d'Hélène sont vertes quand on les porte à la bouche, mais toutes ensemble elles sont bleues et je le savais. La veille, un ouragan avait ravagé l'Engadine : quelques pics paraissaient encore comme à travers la fumée d'un canon, des torrents nouveaux étaient nés, des pans de boue, des branches de mélèzes jonchaient les chemins, j'avais dans l'oreille (depuis quand ?) la lamentation des villageois : qui « déjà pauvres comme des souris » le seraient davantage. Or la description du livre — je devais m'en assurer — use des moyens de Stendhal dans ses portraits féminins : aucun signe vraiment concret, mais des formes qu'emplit le regard, des véhicules pour l'imagination : tels toutefois que ces yeux parlants deviennent les yeux de la seule Sanseverina, que ce « piédestal de roc, de lumière et d'abstraction » figure maintenant Soglio, que ces « amoncellements de la verdure », ces « troubles rêves de la vie », ce « sentiment du péché en villages et en églises » reproduisent le Bergell, que ce « velours irisé, mélancolique » est le pré où s'avance la forme blanche d'Hélène.

Jouve, on le voit, accorde aux lieux de grands pouvoirs : les faisant maîtres d'une partie de la création. S'il est probable que les deux rails qui l'ont porté, comme il dit — besoin d'aimer, besoin de mourir — ont mené en une région où certains personnages surgissaient, région métaphysique, il semble aussi que l'affabulation soit ressortie de flâneries dans les rues et de regards sur les villes. Il semble que l'extraordinaire tristesse de Milan, que le lourd lac de Côme, si proche de l'endroit où Jouve écrivait « Paulina », que le quartier d'Heiligenstadt à Vienne où il a visité le logis de la danseuse pour « Hécate », que la rue Visconti avec l'atelier où se nouent les amours de Pierre et de

Catherine, que tous ces lieux aient composé, extraits d'eux-mêmes, les personnages et les conversations.

Il faut signaler aussi les transformations que Jouve fait subir au paysage pour l'amener à ses fins. Je vise à la fois « l'érotisation » de la nature (que Jean Starobinski a heureusement mise en lumière) et la surimpression de plusieurs éléments en vue d'un résultat précis. « L'Orage changé en femme » (qui se trouve dans « Sueur de Sang ») est l'exemple le plus simple de cette connivence entre les figures du rêve amoureux et les inventions objectives de la réalité :

Le tonnerre punisseur tombait sur les flancs
Eclatement du grand sperme bleuâtre
Interminablement montagne contre espace
Comment le supportaient nos sommeils prisonniers ?

Ces chocs, ces punitions et comme il nous frappait
Aux lieux inconnus — nous ouvrions les yeux
Un matin, nous apercevions une blanche
Femme modifiant tout l'ancien horizon.

Neige, tu étais nue, mais éparpillement
Du sexe de la nuit, crue et mystérieuse
Sous le miroir du bleu et bleu étonnement.

Les surimpressions ont un but différent, presque opposé. Elles tendent à produire une réalité inactuelle où seule comptera la tragédie des instincts et des âmes.

« C'est ainsi, dit Jouve, que, paraphrasant dans « La Victime » une histoire très remarquable de Martin Luther, j'ai composé une autre histoire qui brouille les lieux et les époques, mélange des souvenirs d'Avignon au paysage allemand de la Réforme — mais aussi avec des autos dans les rues — et met en face des théologiens la société secrète des « Francs-Juges », lesquels tiennent de la Sainte-Vehme et préfigurent encore les bandes hitlériennes. »

...Dernier trait : le rôle magique des objets.

Uniquement occupé de l'homme — et d'humanisér l'espace — Jouve en vient, par un détour insensible, à élever les objets à une dignité nouvelle. Il leur impose la charge du temps : de retenir le temps révolu et de prévoir le phénomène futur. Le pigeonnier sans pigeons du « Monde Désert », la boîte à souliers de « Hécate » (c'est celle où la baronne Fanny conserve les lettres de Pierre Indemini qu'elle jettera un jour à la face de Catherine), la boule de verre de « Paulina », les trésors touchants et pervers qu'échangent Hélène et Léonide : ils reproduisent chaque fois la boîte de Pandore. Il sort d'eux un animal fabuleux. Ils signifient une vision à la fois objective et intime.

Voici l'élaboration secrète de l'être féminin dans « Paulina » (j'avoue, pour la partie anthologique de mon ouvrage, avoir longtemps hésité entre la « Chambre Bleue », qui est le premier chapitre de ce roman, et « Les Merveilleux Grecs », qui est une partie de « Vagadu »). L'inventaire de la chambre est terminé... :

Pourtant cet objet sur une table à l'écart de la lumière, était-ce une variété de méduse géante ou un simple globe de verre posé sur une chose indéfinissable ? Le jour se retirait dans une profonde félicité. On s'approchait de l'objet étrange ; c'était bien du verre ; à l'intérieur une montagne de cristal de roche portait de petits personnages coloriés. Le Christ est en prière, les Apôtres dorment tout autour. Au pied de la montagne, une mitaine de filoselle était couchée comme morte sur un cahier à couverture jaune portant ce mot : Visitation.

Une ombre glissait, une main passait sur le verre. Quelque reflet du jour mourant, par suite d'un mouvement de tête que l'on a fait. Ou un fantôme de l'imagination que tant d'images du passé surexcitèrent ? L'air s'épaississait autour d'une forme jeune et désirable, et défunte, transparente toutefois, que la main tendue pouvait traverser. Une odeur féminine se séparait des odeurs de la chambre. Un être se reformait. A présent brillait le regard, un regard noir et dur, mais de matière transparente comme le reste. On était fasciné et il était impossible d'avoir vraiment peur. On voyait l'Ombre, on comprenait comme elle était nécessaire dans la chambre bleue qu'elle n'avait pas quittée depuis une certaine heure solennelle jadis. On ne cherchait pas à approuver ou à nier son existence selon les notions évidemment simplistes que nous avons de la mort. Etait-ce même l'ombre d'une morte ? Qui peut savoir.

Paulina 1880.

Portrait par LE FAUCONNIER (1909). Musée d'Art Moderne

Page suivante : Photographie en 1927

Paysage de Carona

Dans cette maison provençale fut écrite la préface à
Sueur de Sang (1933)

V

DANS « Qui est cet Homme », où il retrace les moments capitaux de sa vie et dégage le progrès d'une démarche intérieure, Pierre Emmanuel dit sa gratitude à celui qui l'éveilla à la poésie et sans doute changea son existence : ma rencontre avec Jouve, écrit-il, se place à la clé de voûte de mon œuvre. Le chapitre consacré à « Sueur de Sang » n'est pas seulement une critique de la poésie au sens élevé : c'est le témoignage d'une conscience violemment émue puis guidée à nouveau. « Plusieurs couches d'existence m'étaient révélées, écrit Emmanuel, et le moyen de m'accorder à chacune, de mesurer mes différents rythmes, le social, le spécifique, le cosmique, le personnel enfin. »

Ce texte me revient à la mémoire au moment d'aborder l'ouvrage de Jouve pendant la guerre de 1940. Il montre que les esprits attentifs avaient clairement perçu qu'à travers la déchirure de l'homme, en proie à l'éros et à la mort, Jouve révélait, depuis 1933, la déchirure de l'humanité. Un seul mouvement, de bas en haut, animait toutes choses. L'une des questions était de savoir en quel temps et sous quelle forme surgirait la catastrophe — qui se tient toujours dans l'homme « mystérieusement agissante, rationalisée, enfin d'autant plus menaçante que l'homme sait qu'elle répond à une pulsion de la mort déposée en lui ». L'Avant-Propos à « Sueur de Sang » était en effet susceptible de deux interprétations — également vraies. D'une part la catastrophe est ce qui contrarie ou brise le mouvement libérateur de la connaissance — précisément par l'irruption désordonnée de ces forces qu'on apprend à découvrir — et par le même mouvement de fatalité. D'autre part, elle est, quand Jouve écrit, l'événement qui s'avance : « La psychonévrose du monde est parvenue à un degré avancé qui peut faire craindre l'acte de suicide ». Ainsi Jouve élargit-il sa mythologie, en y introduisant le symbole de la Catastrophe et bientôt celui de la Liberté ; ainsi lui donne-t-il une résonance admirable et unique. Mais en même temps, il se prépare à nommer ce qui va se passer à partir de 1939. Il y aura soudain coïncidence : la catastrophe universelle s'incarnera dans le destin particulier de la France.

En 1938, Jouve publie « Kyrie ». C'est un livre qui oppose sans cesse le passé et le futur. On y trouve des poèmes qui pourraient prendre place dans « Matière Céleste », ceux qu'inspire Hélène : mais maintenant Hélène est vraiment morte, E. V... est « dans le tombeau ». On y trouve l'écho des grandes musiques entendues à Salzbourg — mais tissé de tristesse, comme si cette autre partie de lui-même dût également être retirée à Jouve. Un poème tel que « Mozart dans la Fosse Commune » accuse la souffrance et cependant s'efforce de la surmonter : au titre répond ce beau vers :

Ici repose un chant de nue perfection.

On y trouve les thèmes anciens : mêlés à de nouveaux (« le cerf dans le son vert de l'immense symphonie Schubert »), ou doués d'un pouvoir qui leur assure un domaine sans fin (« Don Juan », « Psyché abandonnée devant le Château d'Eros »), ou incarnés dans le paysage de la France. Je songe à ces invocations véhémentes, à ces lamentos, à ces dédicaces qui — interrompant l'adoration perpétuelle, parce que le malheur se prépare — prennent appui sur les Vierges, sur les églises de village, sur les Saintes Maries de la Mer.

Mais on y trouve aussi pour la première fois les Cavaliers de l'Apocalypse, portant les couleurs de la colère, de la punition, de l'extermination et de la mort. Le double plan est toutefois préservé. Il y a réflexion sur les signes à jamais complémentaires de la chute et du salut — Jouve cite en exergue la parole de Kierkegaard : « c'est seulement par le péché qu'on peut voir la béatitude ». Il y a frémissement à l'approche de réalités menaçantes — Jouve voit l'« anté-Christ en casquette noire à visière ». La substance humaine se ressouvient de ce qu'elle était au temps de saint Jean : elle attend, elle craint — et fugitivement elle espère.

« Les Deux Témoins » font lever la liberté sous les pas de la catastrophe :

Dur agneau prends pitié des deux derniers témoins
Qui seront tués dans le manteau rouge sans sépulture
O liberté prends en vertu leurs corps saignants
Car ils sont les deux chandeliers du Seigneur
Car ils ont le pouvoir de fermer le ciel
Car le feu de leur bouche a dévoré l'injuste
Car ils ont changé l'eau en sang
Mais à la fin la Bête de l'abîme
A reçu pouvoir de les délivrer
A fait la guerre les a tués et les a défaits.

Quelques poèmes (parmi eux, « Donne à la thébaïde ») prévoient déjà la résolution. Mais ce regard vers les lointains ne saurait distraire du spectacle d'aujourd'hui. Le sentiment principal est celui de l'attente angoissée : du recueillement, mais de la sécheresse de l'âme dans un moment capital (voyez « Paysage intérieur » et « Je suis succession furieuse »). Le péril est immense, il est imminent, on est sûr de soi ou plutôt on l'était, car depuis peu on s'est pris à douter, mais on est sûr de la force de l'adversaire. C'est l'angoisse que décrit « Guerre et Paix » de Tolstoï : qui étreint les armées quand la brume se déchire et qu'elles vont combattre.

Jouve rassemble, comme pour un dernier rappel, les thèmes et les symboles : il ne peut s'arracher encore à la mémoire d'Hélène si même elle est inhumaine, il ne se résigne pas à la perte de la beauté (de ce « Don Giovanni » qui lui est apparu une fois de plus dans son intensité fulgurante), mais il découvre les instruments de la Destruction, il sait que les Quatre Cavaliers vont effacer l'expérience, il prie Dieu et il voit que Dieu est « sans figure »...

...Jouve est à Lucerne pour écouter Toscanini « dans le dernier concert de la Paix ». La guerre éclate. Il rentre en France. Dans une lettre qu'il m'écrit le 30 novembre 1939, à la veille de rejoindre Paris, il me parle de cette « drôle de guerre » où *tout* déjà est en puissance ; dans le lieu que les circonstances lui ont imposé (c'est St-Mathieu près de Grasse), il travaille « à maintenir ce qui dans sa destinée doit être maintenu » ; il compose un nouveau livre : « Les Deux Témoins ». Ce livre, qui portera en réalité le titre de « Gloire », sera imprimé pour quelques amis en mars 1940. Il comprendra « Résurrection des Morts », poème commencé dès 1938, « La Chute du Ciel » et « Tancrède » écrits aussitôt après — ce dernier poème illustre le combat de Tancrède et de Clorinde d'après Le Tasse. Le titre de « Gloire » doit évidemment être retourné : il figure, en ce moment, la démission de la France.

Puis ce sont les jours de mai, « l'affreux beau temps sur Paris », et quand Jouve doit fuir la ville « un immense brouillard vert foncé d'essence brûlée marque les narines sur les visages. ». Il abandonne la rue de Tournon, n'emportant rien, que ses livres ; dans l'appartement vide (qu'il ne reverra plus) est une petite Vierge ancienne — dont il se souviendra au moment d'écrire « La Vierge de Paris ».

En juin, il se trouve réfugié à Dieulefit. Cette petite ville, déjà « lieu d'asile et de réconciliation », n'est pas encore le lieu de résistance qu'elle sera tout au long de la guerre. J'ai dit les souffrances de Jouve pendant ces semaines. Il retrouve quelques-uns de ses amis, mais il semble qu'à l'heure de la défaite et du déshonneur toute parole, et même la parole amicale, lui pèse. Il a besoin d'être seul. La solitude est la loi d'une telle existence ; le dialogue paraîtra dans l'œuvre ; la solitude nourrit l'œuvre qui ouvre les chemins de toutes parts. Jouve quitte Dieulefit pour une ville de la Méditerranée. Ce qu'il y voit et ce qu'il y entend, à une époque où les journaux dits libres abjurent dans la peur, l'oblige à repartir encore. Il désire gagner l'Angleterre, mais il manque « de tous les moyens d'habileté, de hardiesse, et d'argent » qui permettraient alors l'évasion. Avec une obscure volonté de se soustraire à la honte nationale, et aussi par le jeu d'une suite de hasards, il se fait qu'il choisit l'exil : il arrive à Genève pour quelques semaines ; il devra y rester quatre ans. Il rencontre bientôt de grandes occasions de travail. Presque tout de suite on le voit représenter un esprit français irréductible, dans un milieu étranger blessé par les événements, mais dominé par la propagande. Il occupe rue du Cloître, près de la Cathédrale St-Pierre, un petit appartement qu'il ne quittera autant dire pas. Pendant quatre années, qui appartiennent au labeur et à la pauvreté, il écrit cinq livres importants, vers et prose, deux essais politiques, sans tenir compte des préfaces et des articles.

Nous ne pouvons comparer absolument la première et la deuxième guerre de ce siècle. Nous sommes tentés parfois d'y découvrir les pièces d'un même ensemble, les années terribles d'une seule guerre de trente ans. Mais cette vue de l'esprit vient après coup et qui sait si un jour on ne parlera pas d'une guerre de cent ans ; qui peut dire si l'épreuve vécue est la fin d'un monde ancien ou un apocalypse qui, selon la prophétie de saint Paul, fera naître des terres nouvelles sous des cieux nouveaux ?

Pendant la guerre de 1914, la France n'a été que partiellement envahie, Paris est demeuré intact, aucun problème de résistance ou de soumission intellectuelle à l'ennemi n'a été posé ; la Grande-Bretagne n'a pas été atteinte dans ses forces vives, elle a pu croire qu'elle menait une campagne de type colonial, assez dangereuse il est vrai ; l'Amérique a équipé un corps expéditionnaire peu nombreux, chargé de secourir des alliés en difficulté et non point de lutter pour son existence ou de vaincre un fléau de l'humanité. Il était question sans doute d'un combat pour le Droit et la Civilisation, les Yankees qu'on envoyait de l'autre côté de l'eau entendaient dire qu'ils repoussaient les Barbares : mais ce discours paraissait de circonstance et plusieurs croyaient en trouver le modèle dans les exhortations faites aux Achéens, lorsqu'ils voguent vers Troie. Cette ambiguïté, alors, était dénoncée par des écrivains qui, dans cette guerre-ci, ont pris nettement parti (je songe spécialement à Pierre Jean Jouve) ; d'autres, comme André Breton, firent la guerre mais la couvrirent rapidement d'opprobre.

La guerre de 1940 ne diffère pas tellement des précédentes par le nombre de soldats mis en ligne ou l'emploi d'armes nouvelles ; non plus en ce qu'elle a embrassé les populations civiles — il en fut souvent ainsi autrefois ; mais parce qu'elle n'a plus permis que des *esprits* demeurassent indifférents.

Du côté allemand, et depuis Fichte, les guerres nationales tolèrent peu de sceptiques. Je ne parle pas des poètes officiels comme Stefan Georg ni des ennemis déclarés d'une certaine Allemagne qui, l'ayant quittée, la combattirent du dehors. Mais des cœurs aventureux même, tel celui d'Ernst Jünger, que Hitler n'avait pas fait battre, se révélèrent sensibles au bruit des fifres et des tambours.

L'attitude des poètes anglais est plus complexe. L'amour qu'ils vouent à leur pays se confond si naturellement à leur amour de la liberté, que toute démarche de l'esprit et du sentiment, y compris l'objection de conscience, s'inscrit pour eux dans une forte tradition. « Les hommes, écrit T. S. Eliot, ne peuvent vivre qu'en se soumettant à quelque chose qui demeure en dehors d'eux » : c'est pour lui la culture universelle, mais pour Spender ou pour Auden un objet politique ou social, pour Dylan Thomas ou pour Gascoyne l'invisible s'unissant au visible dans l'œuvre d'art. Si la Grande-Bretagne cette fois n'a pas eu de Rupert Brooke, la raison en est peut-être, comme on l'a dit, qu'au commencement de l'autre guerre tous les jeunes poètes étaient des trompettes appelant à la bataille — et que la poésie a la mémoire longue.

En France, la poésie s'est pour ainsi dire portée au premier rang. On a vu des poètes « abandonner leurs encriers de couleur et leurs pinceaux mystérieux », se faire soldats ou partisans, mourir, comme Desnos, pour une idée ; la plupart, qui n'avaient pas toujours la foi, ni le souffle d'Aragon, entonner le péan, redire les hauts faits, célébrer les actions de grâce. René Char a su traduire en poésie l'expérience qu'il était en train de vivre. Un petit nombre d'entre eux, réfugiés d'abord dans les librairies et jugeant qu'« à chacun son métier », furent promptement délogés par l'événement : celui-ci finit par atteindre Henri Michaux. L'exil a fortifié André Breton, Supervielle, Saint-John Perse. Quelques-uns, sans prendre part aux combats matériels, ont souffert profondément, assumé la catastrophe comme une démonie : leurs poèmes, ce sont ceux de Jouve et d'Eluard, étaient pour libérer l'âme.

« Si la confrontation des idées de cette guerre (ou de ce qui paraissait alors être des idées) n'était pas un objet de poésie, dit Jouve, la catastrophe l'était à n'en pas douter. La poésie n'est pas limitée. Pourquoi eût-elle refusé de sentir, d'exprimer un événement tragique *national,* c'est-à-dire enraciné dans le sol comme la poésie elle-même ? Pour moi, je désirais de toutes mes forces faire un livre qui ne fût pas lié seulement au fait historique, et portât plus haut, avec tout ce que j'avais acquis antérieurement. Je vivais de l'idée de Résistance, mais je n'oubliais pas l'art... »

« La Vierge de Paris » est ce livre-là : ouvrage de circonstance au sens où pouvaient l'être « La Divine Comédie », certains drames de Shakespeare — les poèmes où Rimbaud, à dix-huit ans, incarne le désastre de 71. La circonstance est dissoute : descendue dans le poète, devenue son moi, née ou re-née à la poésie. Il arrive que l'événement donne immédiatement le branle au poème, comme il ferait au communiqué, à la proclamation, à l'affiche ; chez Jouve, aussi chez Eluard ou Saint-John Perse, l'incantation précède le chant. Ces poèmes, que nous savions par cœur, étaient beaux parce que la liberté alors était consubstantielle au poète : toujours désirée, toujours défendue, sa perte signifiait la mort. Si l'on juge de la vérité d'une telle poésie par le degré d'éloignement de l'œuvre à l'événement, et à la fois par l'identité mystérieuse de l'événement au poète — ce sont les rapports peut-être que Rimbaud institue entre le « je » et l'« autre », — « La Vierge de Paris » mérite d'être appelée poésie pure. Car la catastrophe a été pressentie, et nommée, dès l'origine, le temps historique mêlé au temps personnel, le fait brutal observé dans l'allégorie ; l'œuvre cependant se formait de la longueur du chemin parcouru, d'une élucidation approfondie, de la continuité de la création. En portant « le royaume intérieur dans la cohue » (puisqu'il le fallait), Jouve accomplit la prophétie de Gérard de Nerval : « La vie d'un poète est celle de tous. »

Je dois insister sur ceci : rien, en substance, ne sépare ces poèmes de ceux qui ont précédé. On remarque, depuis 1925, un progrès constant vers l'objet choisi : la connaissance entière de l'homme transfigurée dans la beauté du verbe. « Noces », « Sueur de Sang », « Matière Céleste », « Kyrie » mettent aux prises l'érotisme coupable et l'âme spirituelle ; cependant la vie de l'éros produit la mort et la mort que souhaite l'âme est la véritable vie ; l'homme se sauve en intégrant les forces contraires, en ranimant « les graves instincts d'amour contre les séduisants instincts de mort ». La conciliation a lieu aussi sur le plan de l'art : la violence se plie à la douceur des formes, l'imprécation se fige, l'effroi se change en fugitive paix. Cependant le poème, qui contraint la violence, ne la supprime pas : la mort avec son relief horrible demeure sous nos yeux.

Cette métaphysique et cette poétique s'expriment encore dans « La Vierge de Paris. » Cependant les tendances fatales sont représentées avec plus de rigueur et l'on dirait que la mort triomphe chaque fois. Puis la scène est plus vaste. Le mythe individuel et le mythe collectif se répondent et s'éclairent ; le cœur de l'homme, obscur ou rayonnant « selon que Dieu se tourne », il est au centre de l'univers.

« La Vierge de Paris » réunit désormais, sous un seul titre, toute l'œuvre poétique de 1939 à 1944. Quatre livres en somme : « Gloire » (que Jouve a conçu à partir de 1938 et qu'il a composé peu à peu dans les années suivantes), « Porche à la Nuit des Saints » (qu'il a commencé pendant la « drôle de guerre » et poursuivi à Dieulefit), « Vers Majeurs » et « La Vierge de Paris » (qu'il a écrits entièrement en terre étrangère, entre 1942 et 1944).

Il s'agit, dans l'évolution du poète, d'un moment déterminant comme le fut déjà « Sueur de Sang. » L'unité vive de l'ouvrage suit celle de l'homme, tantôt tourné vers le dedans et, selon la règle de Jean de la Croix, s'efforçant de faire la nuit du sens, la nuit de l'esprit, tantôt vers le dehors et luttant contre une forme grossière du mal. Le combat sur les remparts et dans les catacombes paraît surtout dans « Gloire » et dans « La Vierge de Paris » ; celui que l'âme fournit contre elle-même compose principalement « Porche à la Nuit des Saints » et « Vers Majeurs ». Ainsi les thèmes du jour et de la nuit, du tout et du rien, se développent selon le double mouvement de l'ascèse sanjuaniste et de l'opposition tragique au temps : la souffrance est commune aux deux. Enfin, cet ouvrage doit être considéré à tout moment sous l'aspect esthétique.

Une langue est inventée qui saisit les choses dans l'instant et dans l'espace délébiles où elles se veulent absolument pures. Les mots qui formaient « Sueur de Sang », « Hélène », « Les Quatre Cavaliers » ressurgissent, mais leur éclat s'est tempéré : on les dirait brûlés, comme « le cœur du poisson de Tobie sur la braise », au feu de l'obscure contemplation : les voici vierges et inhumains, rendus à l'esprit. Cependant, l'ordre rapide qui les lie et qui quelquefois fait songer à l'architecture de Mallarmé s'approche davantage de la musique. Des poèmes tels que « Résurrection des Morts », « A une Soie », « Treizième », « Rue de Rivoli », sont parmi les plus beaux qu'on ait écrits.

Il me paraît très remarquable que le thème Nada, ou de l'Absence, qui traverse toute l'œuvre, trouve son expression la plus pure dans la « Nuit des Saints » (qui est la seconde partie du « Porche ») et dans « Innominata » (qui appartient à « Vers Majeurs »), livres composés au moment de la plus grande épreuve, quand Jouve écrit une « poésie armée. » Ainsi, dans le même temps, mais selon des voies différentes, le poète intègre-t-il, comme Baudelaire, « le domaine spirituel entier, le vrai, le moral ».

Le thème Nada est sans doute présent dans « Les Noces » et dans « Sueur de Sang ». Cependant le mot paraît d'abord dans « Matière Céleste » où il sert de titre à une suite de poèmes, dont voici le premier :

Rien ne s'accomplira sinon dans une absence
Dans une nuit un congédiement de clarté
Une beauté confuse en laquelle rien n'est.

« Fugue », « Les Pieds », « En finir avec le Monde » développent le thème, mais sans le séparer encore des réalités douloureuses de l'amour — et de l'angoisse. Car il y a, dans l'expérience de Jouve, deux perspectives principales : celle que crée le Désir, ou la vie même, avec ses joies et ses luttes et son évidente fatalité ; et une haute zone de l'être, qui ne se laisse guère capturer.

« Mon expérience, dit-il, ne voulait rien détourner en route, elle reposait sur un cœur vrai, elle n'évitait pas une bataille avec le sentiment de la faute que porte tout homme, que je porte particulièrement. J'ai évoqué, dans l'Avant-Propos à « Sueur de Sang », cette connaissance par l'érotique... Quant à l'autre force fondamentale, il est difficile d'en parler même à soi seul ! « Le soleil ni la mort ne se peuvent regarder fixement » dit La Rochefoucauld. Dieu est de pire éclat encore. La présence en moi de l'amour transmué en la foi est certaine. Elle explique bien des conflits apparents, que le poème a pu montrer, et dont on n'a pas encore aperçu le sens. La résolution finale est irrationnelle : se sentir humblement devant la grandeur qui n'appartient qu'à Dieu. »

Quelques poèmes — dont « Une coupe est silencieuse » et « O parole humaine abolie », qui figurent dans la partie anthologique de cet ouvrage — marquent un nouveau progrès. Mais le thème n'obtient sa forme parfaite que dans « Innominata » : ici enfin l'Absence est regardée comme un très haut degré de connaissance et comme une dictée des puissances célestes. Seize pièces, étroitement articulées autour de trois points (oublier, briser, accepter), conduisent à cette méditation — que je dirais cruelle si le poète ne la considérait avec tendresse :

Humanité du Christ, à l'époque parjure
Dans les églises où Jésus est pollué
Dans les états où Jésus est injure
Dans les combats où Jésus mort est forniqué,

Humanité du Christ ô membres du mystère !
Une divine odeur recevant ses entrailles
En moi ; et la matière des tenailles
Ne faiblissant que sous les coupes de colère !

Humanité du Christ ! en faiblesse et en ombre
Tu veux que j'aie connu l'ivresse singulière
De mon sang qui a vie et ressource première
Dans ta perfection hors du temps le plus sombre.

« On peut concevoir une Poésie qui, à l'égard de l'événement du temps, le touche d'une main très profonde, et puisse être lue, tantôt comme une traduction directe des faits bouleversants, tantôt comme la méditation beaucoup plus éloignée de ce qui est à la racine. » Cette définition, désormais célèbre, d'une poésie « à plusieurs hauteurs » se trouve dans la préface à « La Colombe », de Pierre Emmanuel. que Jouve écrit en novembre 1942.

Elle éclaire entièrement, me semble-t-il, le dessein d'un livre essentiel, en prose celui-là, que Jouve compose vers le même temps et qu'il nomme : « Défense et Illustration ». En effet, comme il dit encore : « La lutte de la Poésie contre la catastrophe qu'elle incarne, dont elle fait son profit, c'est une lutte pour des valeurs immuables : en premier lieu *l'être,* la durée de la nation et de la langue ; en second lieu l'idée de la nation, qui est pour nous Français : la Liberté. » Or il est quelques hommes du dix-neuvième siècle, Delacroix, Courbet, Baudelaire, Rimbaud, qui ont retrouvé très loin la souche nationale et en ont eu la vision « par la plongée dans leur intériorité la plus secrète ». Jouve médite leur exemple et, approfondissant à son tour un engagement lucide, il analyse les métamorphoses de la conscience à l'œuvre. Ainsi réussit-il à faire tout à la fois un livre de combat spirituel et un livre critique.

Entre une image de la France comme patrie du tragique

absolu (« Vivre libre ou mourir ») et un « Tableau de Courbet » qui se change en un Courbet réel : l'anniversaire de la fusillade au Mur des Fédérés, — « Défense et Illustration » comprend un « Tombeau de Baudelaire », un « Quartier de Meryon », un « Delacroix », un « Jean Arthur Rimbaud », construits sur l'idée que seul l'art le plus élevé en art peut résoudre le conflit de l'homme. « Le poète, écrit Jouve à propos de Baudelaire, est un diseur de mots, au sens le plus héroïque : spirituel et créateur. Dans ses mots, il connaît la vertu, le courage, la religion, qui pour lui sont en la parole et seulement en elle. Dans ses mots, le poète se sauve, et point autrement. Dans l'*acte des mots* du poète est sa mystique et se révèle aussi sa magie : les conflits avec le monde, ou les faveurs du monde s'ensuivent. » D'autre part : « Il n'y a peut-être pas une seule peinture de Delacroix qui ne présente, au centre d'un univers remarquablement calme : la violence, plus proprement le meurtre, soit directement figuré, soit suggéré indirectement. *La mort est la base du tableau.* »

Jouve voudrait qu'une conciliation ou qu'une réconciliation semblable pût réunir un jour les deux parties de la substance française : l'esprit des Croisades et l'esprit de la Révolution. Il voit bien que la France a un égal besoin de liberté et de foi. Le désastre et la grandeur de ce pays sont, de siècle en siècle, le prix d'une telle division : Sainte Geneviève, Jeanne d'Arc, les Volontaires de l'an II, les morts de la Commune.

« Le Bois des Pauvres » et l'« Ode Funèbre » (qui appartiennent à « La Vierge de Paris ») disent cette souffrance du peuple français. Joints à des pièces d'autres œuvres, en particulier « Processionnal de la Force Anglaise » et « L'Homme du 18 Juin » — qui disent l'honneur —, ces textes forment, par leur groupement même et par leur agencement réciproque, un nouvel ouvrage, ouvrage de passion. C'est « A une Soie » : anthologie qui paraît meilleure qu'une autre : « Les Témoins », réalisée deux ans plus tôt.

Jouve publie « A une Soie » au printemps de 1945, au moment où la désillusion, voire le désespoir, se substitue à la plus grande espérance : « A l'évidence, écrit-il, le monde déshonorait sa lutte. »

« Je me retrouvai à Paris en septembre, ayant presque tout perdu, trahi souvent par les compagnons de lutte, seul. Je formai le vœu de *non-politique absolue*. Dès lors les incroyables problèmes et horreurs diverses de l'époque où nous sommes, de l'époque « atomique », parurent passer à une distance respectueuse. Nulle sommation ne me fut adressée, comme il en était pour tant d'autres. Je fus libre de continuer ce que je n'avais jamais délaissé, de poursuivre le même mouvement de création poétique. A mes yeux, l'on ne peut être — ce qui s'appelle être — que dans sa responsabilité propre. On ne commande pas le vol d'un oiseau. L'artiste a une pensée par laquelle il peut s'engager où il voudra ; sa création, qui dépend à peine de lui, ne peut être engagée nulle part. Je vais plus loin : le poète seul entouré de risques, c'est lui qui dans un monde en pleine dissolution sauve ce qui doit être sauvé : l'esprit qui ne craint pas, l'esprit capable de Dieu, l'esprit que la matière peut toujours écraser, et n'atteint pas. »

VI

L'ŒUVRE du poète toujours nous déconcerte. Mais davantage si elle s'accomplit sous nos yeux : *in progress*. Nous avons lu la vérité en des mots absolus ; viennent d'autres mots, une vérité qui nous paraît étrangère. Cependant c'est la même : le regard du poète a changé, la langue natale a choisi une nouvelle respiration.

Pierre Jean Jouve vient d'écrire ses livres les plus puissants : où l'on voit la beauté et l'essence s'unir au plus profond, pour former cette « beauté de force, d'essence » qu'il préfère à la beauté d'harmonie ; il intègre d'anciens thèmes, d'anciens symboles à une thématique, à une symbolique nouvelles ; après s'être servi de toutes les formes du vers libre, il use du verset, qu'en dernier lieu il rend à son tour plus vague et libre.

« Hymne » (1947) et « Génie » (1948) appartiennent à la même forme poétique que « La Vierge de Paris ». En des pièces de longueur inégale, ils offrent divers mètres, de six ou douze syllabes, le plus souvent rimés ou assonancés. Cependant ni la rime ni la mesure ne pèsent jamais sur une construction qui est d'abord sensible : qui s'abandonne, se reprend, au besoin se brise : au seul gré de cet instant spirituel, aigu, aride ou chaleureux, qui est le poème même. Il y a aussi l'ordre du livre : entièrement visible dans la mise en pages et dans la typographie, à peine moins visible dans une architecture qui, réunissant deux êtres en un, l'idée et la forme (comme le voulait Baudelaire), fonde l'« idée » poétique sur l'ensemble des pièces.

Cependant le son de ce que nous entendons est différent : non plus désespéré (ainsi que dans « Gloire ») ou étouffé parce qu'il vient d'une région de l'être qui s'égale à la Nuit (ainsi que dans « Vers Majeurs ») : mais voilé de tristesse, incertain, faisant écho à la tragédie et parfois l'oubliant pour espérer. Le fracas des armes a disparu, l'événement s'éloigne, cependant le demi-silence que la paix installe demeure transparent au bruit ; nous ne pouvons nous résoudre déjà à ce que les morts enterrent les morts ; après le recul de toutes choses, le vide nous serre la poitrine. Jouve se relie à son passé (le dépouille de ce qui appartient au temps), ne s'attache pas au présent, déchiffre les signes du futur. Il joint les diverses parties de l'expérience, les éprouve à nouveau, forme des images plus grandes : où Aurora naît d'Hélène, et reconnaît le Christ sous ses déguisements, où saint Bernard jette sur la mort une nouvelle *vita nuova,* où la beauté se nourrit de tout l'antérieur.

Considéré aujourd'hui, « Diadème » (1949) a de quoi surprendre. Car s'il préfigure les objets poétiques nouveaux (ceux qui se déploient sous nos yeux), il s'éloigne autant qu'il est possible de la forme qui les exprime. « Diadème » se compose de pièces courtes et souvent de vers courts ; la brièveté syntaxique accentue ce premier parti ; diverses inspirations paraissent à la fois — en un éclair ; l'assonance enfin, ou la rime mieux marquée, achève l'apparence d'un être poétique qu'il serait en notre pouvoir de réduire en poudre mais non de diviser.

Notre sentiment est que le poète s'est *ressaisi* — et aussi qu'il s'est détaché ; que la souffrance l'a fait si durement avancer et pendant si longtemps qu'elle l'a enfin conduit en un lieu où le malheur lâche prise ; ou encore que l'exil, cet « état d'exil intérieur et de proscription » dont il parle parfois, comporte une certitude irréfragable.

Nous apercevons quelques-uns des symboles, des rêves, des thèmes familiers : le Christ, le Nada, l'orage, l'arbre, le sang. Nous en voyons d'autres : le lait, le livre, le diadème (symbole des symboles) : qui prennent le double signe de l'éros et du poème même :

Qu'à la gorge cet abandon
Te saisisse au lieu de l'enfance
Voici le malheur sans pardon
Le sexe tranché par souffrance

Absence de lait ! et désespoir bu
C'est manque de ciel et c'est larme d'arbre
Aussi le chanteur vieilli n'a connu
Que mépris de soi poli comme un marbre :

Si tout avait été vécu
D'amour et qu'un germe non d'elle
Ne fût pas grossi en son sein

Même orageuse au ventre cru
Je l'eusse faite non mortelle
L'ambassadrice du chagrin.

Cependant, entre Jouve et le « souffle » qu'il veut capter, surgit un intermédiaire nouveau, qu'escortent aussitôt les rêves. C'est le Dragon, qui dans « Diadème » joue le rôle qu'avait le Cerf dans « Sueur de Sang » — celui d'un agent ou d'un masque pour nos désirs ; mais qui peu à peu, nous le verrons dans l'œuvre suivante, ouvre un univers symbolique différent.

J'avoue un attrait particulier pour « Diadème ». Il me semble, et c'est peut-être la première fois, que l'angoisse est entièrement dominée. Le poète ne cesse pas d'épouser les grands thèmes qu'il s'est choisis (par exemple le thème Nada si souvent pris et repris), mais on dirait qu'il en joue. Son inspiration témoigne d'une liberté neuve. Le sang est toujours le sang : mais il est *d'abord* une chose de beauté. Que l'on compare le poème intitulé « Nada » aux sonnets de Gongora que Jouve a traduits : on verra que des objets à la vérité fort différents ont produit une œuvre par instants semblable, parce qu'ils ont été semblablement détruits et ressuscités au cœur du moi poétique. Voici l'un de ces sonnets :

Tandis que pour se comparer à tes cheveux
L'or bruni retentit sous le soleil en vain,
Tandis qu'au milieu de la plaine avec dédain
Ton front mire du lys éclatant la blancheur,

Tandis qu'à chaque lèvre à la cueillir très belle
S'attachent les regards plus qu'à l'œillet précoce,
Alors que ton mépris triomphe juvénile
Du cristal reluisant par tout ton col de grâce,

Jouissez, col et front, et lèvres et cheveux
Avant que ce qui fut, à la saison brillante,
Or, lys, œillet précoce ou pierre reluisante

Non seulement se soit changé en argent vieux
En violette tranchée — mais toi et tout ce temps
En terre et en fumée en poudre ombre néant.

« Ode » (1950), « Langue » (1952) et les poèmes parus dans les revues depuis deux ans sont écrits en versets : de plus en plus amples à mesure que l'œuvre se fait. Le verset de Jouve n'est pas seulement attentif au souffle mais au regard, il ne se satisfait pas d'une beauté élocutoire — qui deviendrait vite une beauté d'harmonie — ; comme le poème en prose de Mallarmé et déjà celui de Rimbaud, il exige « un double rapt, un double coup de griffe posé sur le rêve intérieur et sur la langue ». Cependant les nœuds de la création demeurent invisibles, le rythme est d'une liberté souveraine.

Quelques-unes des images esquissées dans « Diadème » prennent désormais toute leur taille ; d'autres se développent dans un sens imprévu ; il en est de nouvelles.

Le Dragon ne traverse plus un ciel familier, il en suscite un autre, d'un mouvement immobile, qui recouvre notre temps et notre agitation. C'est une idée de la Chine intérieure telle que le poète a cru la trouver dans certaine région de la Provence méditerranéenne, où il habita pendant quelques étés, précisément au milieu de multiples images et d'œuvres d'art chinoises. * Le lieu où il se retranche est son propre moi agrandi aux limites d'un monde très ancien, très spirituel ; cependant il ne peut faire que son île ne soit régulièrement submergée par la vague — un moi plus profond est la vague ; son passé et son futur l'investissent de partout. La Chine intérieure devient l'état de secret où Pierre Jean Jouve vit depuis un quart de siècle, enfermé avec son temps.

Les couleurs changent du même coup. Le jaune, l'ocre, l'orange conquièrent sur le bleu qui paraît un faux bleu, sur le rouge qui vieillit. Le vert demeure. (C'est Roger Bastide, je crois, qui le premier a relevé que l'évolution spirituelle de Jouve entraînait des changements dans le mécanisme de sa vision. Analysant, en 1936, les éditions successives de « Sueur de Sang », il notait que les couleurs symboliques du début, le rouge et le noir, avaient insensiblement fait place à la gamme blanc-bleu-vert. Son commentaire n'avait rien de gratuit. Je me souviens, par exemple, qu'il marquait le passage du vert noir — la tache

* C'est d'ailleurs vers ce moment qu'il connaissait l'œuvre de Victor Segalen, et par un mouvement assez généreux contribuait, plus que tout autre, à « sauver » cette œuvre de l'oubli à quoi elle semblait condamnée.

d'huile sur le pavé — au vert éclatant — celui des torrents et des glaciers fondus.

La deuxième Antistrophe d'« Ode » (qui est reproduite dans cette anthologie) se forme autour d'une figure de femme, apparue déjà dans « Diadème », douée ici d'un fort rayonnement. Yanick est une prostituée que Jouve a aimée parce qu'elle était une « fille des rues » et qu'il a ensuite aimée autrement ; il l'a rencontrée quelques fois comme on rencontre la beauté quand elle est l'ouvrage du malheur ; elle a soudain disparu. Le poème ne la nomme pas. Elle est l'Etrangère — et aussi le Cygne. Parfois elle coïncide avec l'œuvre ou avec le poète même (ainsi le Cygne dans les « Tableaux parisiens » de Baudelaire). Parfois elle signifie l'Absence, forme sensible du thème Nada.

Ainsi la constance de certains thèmes et de certains symboles favorise plutôt qu'elle n'écarte l'apparition de thèmes et de symboles nouveaux. On pourrait parler ici d'un phénomène d'« agglutination », terme dont Jouve se sert pour définir l'acte poétique. Il arrive encore qu'une image depuis longtemps sous-jacente surgisse un jour et obtienne assez de pouvoir pour se changer en allégorie et animer une suite de poèmes. Tels les Nombres — dont la symbolique occupe Jouve depuis qu'il étudie le décor secret de Nerval.

« Ode » réunit, sous peu de chefs, des poèmes assez longs. « Langue » est fait d'un grand nombre de pièces : selon un ordre moins strict et, comme je l'ai dit, dans un verset tout à fait libre. Ces pièces, souvent courtes et inégalement composées, surprennent le regard par une architecture où les blancs ont désormais une autre fonction. A leur tour, les « idées » poétiques manifestent une spontanéité, une liberté, une vivacité, une « incandescence légère » qui nous font communiquer à chaque instant avec tout l'univers de Jouve. Ce n'est pas un hasard si cette poésie *survole* maintenant les terres connues — et les autres qu'elle découvre ; si elle fixe dans le ciel, d'une main qui ne tremble plus, les figures et les constellations : Hélène, Ariane, la Vierge, le Dragon, le Cerf, les Larmes ; si elle défait jusqu'à l'horizon la nuit de la mort et les feux du jour ; si enfin elle emploie les mots interdits, les mots techniques : pour accroître encore son empire.

Le développement des moyens, dans les derniers livres, dépasse la langue pour approcher la source de l'œuvre entière.

Si nous laissons les écrits d'avant 1925, désormais oubliés ou rejetés, nous voyons que Jouve fait son entrée dans la poésie universelle en exprimant de manière ironique ou mystique, concrète en tous les cas, l'ambiguë substance humaine : qu'il nomme un jour (c'est le titre de l'introduction à « Sueur de Sang ») Inconscient, Spiritualité et Catastrophe.

Le siècle des lumières et la nuit romantique, tour à tour combinant et contrariant leurs effets, ont suscité un type d'homme ou de héros, dont les connaissances, les instincts et les révoltes nourrissent aujourd'hui un art complexe. Nous reconnaissons une double vocation : pénétrer l'énigme de l'univers, assurer la liberté de l'individu. Une fois déjà ces désirs ont été unis, lorsque l'homme a prétendu posséder à la fois la science et la liberté, l'arbre de la vie et l'arbre du bien et du mal. C'est le mythe du Paradis perdu. L'humanité s'est ensuite divisée. Quelques-uns ont gardé la nostalgie du Grand Secret ; d'autres ont caressé des rêves de puissance, défié Dieu dans la mécanique de l'Eros. Ce sont les mythes de Faust ou de Don Juan. Cependant, le romantisme porte en soi les deux mouvements : il veut retrouver l'explication première des choses et donc se soumettre aux lois de l'ascèse, de la recherche ésotérique ; en même temps, affirmer la liberté de l'homme, l'établir sur les barricades et s'il faut sur le scandale. Ainsi le romantisme, en Allemagne et en France, se voit déchiré par une contradiction essentielle dont les figures se répondent : de la folie prophétique de Hölderlin — du « miroir de transparence » d'Arnim — à l'art poétique très pur de Nerval — à la vision formidable des « Chimères ». Il arrive que le conflit soit surmonté : le devenir révolutionnaire paraît alors moins urgent que la conquête ou que l'affermissement de la liberté intérieure, la volonté prométhéenne cède devant l'intention mystique.

« La poésie, écrit Jouve, engage, dans une direction... que nous indiquons par le mot Beauté, un nombre infini de réalités possibles, parmi lesquelles les plus divines et les plus humaines, les plus hautes et les plus basses, la spiritualité et les besoins inconscients, l'exploration de l'invisible et le sens concret des objets — les correspondances universelles... La Beauté est la résolution, la délivrance et l'apaisement, pour toutes ces mémoires qui se sont présentées. »

La Beauté est une délivrance... : je ne puis rien dire qui définisse mieux l'ouvrage de Jouve. Aucune poésie n'est justiciable de raisonnement. Cependant, quand elle est d'un grand poète et donne à voir l'univers, on est tenté, malgré soi, d'en tirer une construction idéale. De telles constructions, remarque Jouve, ne sont pas des choses fausses, ce sont des choses surajoutées : Edgar Poë en a fourni le premier modèle. Je n'ai pas échappé à cette dialectique et peut-être ne le pouvais-je pas. Mais il faut maintenant aller à la poésie, oublier ce que j'ai joint à la poésie. Oui, Jouve a redit le chant éternel qu'il avait entendu au séjour des Mères. Oui, il a décrit la furieuse bataille qui est dans l'homme, opposant l'homme à l'univers, les hommes entre eux : luttes sur le plan de la psyché — qui se dénouent dans l'art ou dans la mystique —, luttes sur le théâtre du monde — qui incarnent les formes grimaçantes du bien et du mal, le balancier des révolutions et des guerres. Oui, il a reconnu l'élan transfigurateur de l'amour, l'interdiction venue des fonds lointains et ainsi l'éros et la mort, ennemis complices, tout embrouillés par leur commun état de péché. Telles sont bien les vérités du poète ; et qui sait — les vérités de l'œuvre. (Ne les a-t-il pas éprouvées une nouvelle fois au contact de « Don Giovanni » et de « Wozzeck », les drames musicaux qui accusent le plus directement la déchirure que la mort fait subir à la vie ?) Mais rien ne devrait nous retenir d'y voir aussi les façades dont le poète entoure son génie (ainsi faisait Baudelaire). Alors le poète est vu dans sa seule lumière :

il reste seul et comme Bernard Groethuysen l'écrit de Jouve : « seul au milieu des oiseaux de son âme ».

Marcel Raymond considère « Les Fleurs du Mal » comme la principale source de la poésie contemporaine. De là partent, dit-il, deux courants : dont l'un, celui des artistes, conduit à Mallarmé, l'autre, celui des voyants, à Rimbaud. Ce schéma est juste, s'il nous rappelle encore que Nerval, avant Baudelaire, a uni l'art et la voyance.

« En quatre poètes français du temps qui nous précède, écrit Jouve — Nerval, Baudelaire, Rimbaud, Mallarmé — on voit donc apparaître les premiers actes de ce *drame de l'Eros* qui, en tant que Poésie, se comprend et pour la première fois ose se montrer. Si nous avons à présent quelques lueurs sur les composantes primitives de notre être, l'Eros et la Mort... — ces grands poètes sont parmi les plus hardis qui aient eu le courage d'en nourrir l'art, en devançant la connaissance, ce qui était encore en nourrir l'homme. »

Cependant, Jouve est le cinquième.

Il y a, entre ces figures solitaires, une expérience poétique commune, une circulation mystérieuse comme entre les régions de l'esprit : chaque œuvre annonce ou reflète en partie les autres, toutefois ces parties ne coïncident pas et forment un nouvel ouvrage. Dans cette symbolique de la nuit, « Les Fleurs du Mal », brillant d'un éclat unique, prolongent vers nous l'étoile d'*Aurelia,* puis viennent Rimbaud et Mallarmé, gémeaux inverses que baigne la lumière de Baudelaire, enfin, proche de notre nuit, aiguisant cette galaxie en fer de lance, l'auteur de « Sueur de Sang ».

Jouve ressemble à Nerval par la psyché, par le rêve, par la séparation d'avec les modes immédiats de l'existence. A Rimbaud par la vision de la catastrophe. A Mallarmé par la liberté de la langue. Son œuvre pourtant n'eût pas été écrite ou nous ne l'eussions point entendue sans celle de Baudelaire.

Le poème, ici et là, est événement absolu. Il crée l'être des choses, du même coup l'être de l'homme. Il dénude le cœur humain et cet acte, le verbe, est beau. Il est création vive, essence parfaite, dans le temps et hors du temps. Baudelaire comprend Jouve ; Jouve l'avenir : l'un et l'autre inventent constamment toute l'étendue possible de la poésie.

Une telle liberté va en tous sens ; mais la règle est dans l'œuvre. Lorsque Baudelaire écrit à Vigny : « Le seul éloge que je sollicite pour ce livre («Les Fleurs du Mal») est qu'on reconnaisse qu'il n'est pas un pur album et qu'il a un commencement et une fin», il évoque un danger auquel Mallarmé peut-être n'échappera pas. Ici encore Jouve assure, en l'étendant à maintes formes de langage, la tradition de Baudelaire. Ces formes, il les lie dans la profondeur ou, pour parler comme lui, dans un esprit de vie. De « Diadème », qui n'est pas sans rappeler le mètre mallarméen, aux œuvres d'aujourd'hui où s'offre un lyrisme plus libre, nous admirons, tels ces changements à vue qu'imagine la peinture de Delacroix, l'opéra de Mozart : la réversibilité des styles de l'art ou des langues de la poésie, quand les anime une source unique rayonnante.

VII

SANS sacrifier tout à fait ou à la chronologie des œuvres ou à la courbe personnelle d'une vie, je me suis efforcé de fixer l'ouvrage de Jouve par les nœuds d'une existence en quelque sorte idéale : convaincu que le visage poétique coïncide avec l'être essentiel, le témoignage avec le temps. J'ai reconnu ainsi plusieurs périodes ou sources d'inspiration — auxquelles correspondent à peu près les chapitres de mon livre. Mais cette division, en partie arbitraire, offre encore l'inconvénient de laisser en marge de grands travaux que Jouve a poursuivis à divers moments de sa vie : les essais sur la musique et les traductions, en particulier celles de Shakespeare. Je souhaite d'en dire au moins quelques mots.

J'ai marqué le rôle privilégié de la musique tout au long de l'adolescence. C'est seulement quand Jouve a commencé son œuvre de poète que la musique a cédé la première place. Cependant il lui a voué sans cesse une attention, une intelligence et il faut bien dire une passion qu'on voit rarement chez les écrivains. Cette vocation frappe d'autant plus qu'unissant la musique et la poésie, elle ne rompt pas le lien avec les autres arts. J'ai noté, hélas trop brièvement, les références à la peinture et il faudrait y ajouter le théâtre. Si l'idée d'opéra ou comme il dit avec Rimbaud, l'idée « fabuleuse » d'opéra, s'est emparée si vivement de Jouve, c'est sans doute qu'elle recouvre tout à la fois la musique, la poésie, le drame — et cette peinture en mouvement qui le séduit déjà chez Delacroix et Meryon.

Jouve, pendant les années qui ont précédé la guerre, s'est rendu à Salzbourg comme en l'un des hauts lieux de l'Europe — et il y est retourné, dès que les circonstances l'ont permis ; il fut aussi un familier des festivals d'Aix-en-Provence. Il a écrit, sur la musique, de nombreux articles réunis aujourd'hui dans « Commentaires » — et deux essais importants : le « Don Juan de Mozart », qui est l'un de ses livres les plus célèbres, et « Wozzeck ou le Nouvel Opéra », dans lequel il développe de précieuses considérations sur l'invention et la forme.

Ce que Salzbourg signifie pour Jouve, divers textes nous le donnent à entendre, tel celui qu'il écrivit au moment où la capitale de la musique était menacée de disparaître (et sur elle il écrivait au passé) : « ...Qui avait, le matin, marché sur la Domplatz, et vu, à côté de la froide façade en ivoire de l'église et par dessus les portiques à l'italienne, apparaître comme un fantôme la « Festung » féodale sur la montagne chevelue et verte (divers aspects de la puissance des Princes-Archevêques) ; qui avait traversé vers onze heures, au moment du carillon, la place de la Résidence dont une partie semble de Piranese et l'autre de Schubert ; qui avait contemplé la ville des couvents, heureusement couchée dans l'or, sur les chemins encore intacts de la Montagne des Moines, celui-là avait sa vie intérieure orientée, il était pris dans une « Sehnsucht », une mémoire, dont la figure centrale était Mozart. Or cette figure de Mozart est si aiguë, qu'elle peut donner son sens à toute une terre. »

Jouve n'oublie pas que Mozart fut malheureux dans sa ville natale. Mais il croit que l'interprétation moderne, seule vraie et profonde, du génie mozartien, qui se forma à Vienne sous l'influence de Gustav Mahler, s'est fixée désormais à Salzbourg par un mouvement naturel de piété. Il s'était enthousiasmé pour la cause de Mozart dès 1921, quand Bernhard Paumgartner dirigeait au Mozarteum (il y a un poème « Mozart » dans « Les Noces ») ; cependant, c'est en écoutant les exécutions de « Don Giovanni » par Bruno Walter entre 1934 et 1937, qu'il imagina de « faire le portrait d'un opéra » : « Mon projet, dit-il, était un terrible paradoxe. Sans toucher à la musicologie, donner par la *science de l'écriture* des valeurs *équivalentes* de l'émotion pour *toutes* les situations musicales et dramatiques de l'opéra ».

Il ne m'est pas permis de donner une idée, même sommaire, d'un tel ouvrage dont la complexité et la force, la transparence et la grâce, sont à la mesure de « l'opéra des opéras » (comme écrivait Hoffmann). Jouve montre que la musique, à peine guidée par les mots, peut représenter un mystère affectif, en découvrir le contenu latent et faire que le réel devienne mythe ; il montre que la musique seule est capable d'exprimer Don Juan.

Quand Jouve écrit que l'idée-mère de « Don Giovanni » est « celle de l'intervention directe de la Puissance divine après une longue impunité accordée au péché », il retrouve la tradition du « Burlador de Sevilla » que certains ouvrages italiens et français, y compris celui de Molière, avaient contribué à obscurcir en abaissant la tragédie de la Statue parlante au rang d'une comédie de mœurs. Grâce à la musique de marbre de Mozart, le *deus ex machina* signifie une réalité extra-théâtrale, inhumaine, transcendante. Au regard de Jouve, la séduction ne peut que produire la licence — et annoncer la catastrophe. Car la répétition intérieure, la volonté épuisante d'inscrire l'éternité dans le chiffre du temps, est par excellence la puissance rebelle, contre-Dieu. Mais sans doute Don Juan doit-il parcourir entièrement le chemin de la désobéissance — parce qu'il est Don Juan et *tend* vers la liberté ? Jouve, tranchant les nœuds formés dans l'opéra de Mozart et qui sont dans Mozart même, écrit enfin : « Dieu doit triompher du libertin — et conduire la liberté ».

C'est à Salzbourg encore, en 1951, que Jouve entendit le « Wozzeck » d'Alban Berg, au moment de la première représentation donnée dans cette ville. Il était attiré vers Berg depuis longtemps : « sans aucun doute, dit-il, par quelque affinité élective ». Son premier contact avec le grand musicien avait été la « Suite de Concert de Wozzeck » (qui allait inspirer « La Fiancée » des « Histoires Sanglantes »). Découvrant en 1936, à Barcelone, le Concerto pour violon « A la Mémoire d'un Ange », il l'avait nommé « le monument le plus admirable, jusque-là inouï, de la musique moderne ». Lorsqu'il vit « Wozzeck », il sentit une correspondance profonde avec « Don Giovanni » : de part et d'autre, une forme musicale rigoureuse et un drame souterrain — particulièrement influencé des forces inconscientes dans le cas de « Wozzeck » : « De même que l'on voit toute une théologie sortir inattendue du châtiment de Don Juan, de même une métaphysique, une métapsychologie apparaissent dans l'assassinat de Marie ».

Cependant, parti du modèle « Don Juan », Jouve se trouva aux prises avec une langue très différente, la langue atonale, dont les articulations et les agrégations les plus compliquées demandaient à être isolées et saisies. Il dut accomplir, sur la partition même, un travail minutieux : reconnaître la fonction et le développement des thèmes, puis leur organisation, enfin les formes musicales définies. C'était là, si je puis dire, le côté de la musique. Mais « Wozzeck » est aussi le drame de Georg Büchner : simplifié et transcendé par la musique, agrandi aux proportions du mythe, devenu drame intégral. Les thèmes sont conçus à partir de motifs, personnages ou concepts ; par la thématique, Berg touche au symbole ; en nommant le symbole musicalement, il atteint à l'inconscient ; l'inconscient du drame et le nôtre communiquent.

Ce qu'il y a de plus important dans le « nouvel opéra », c'est la coïncidence — que Jouve met définitivement en lumière — entre une forme toute puissante et une invention tout à fait libre : les deux constituant une « dramaturgie sonore géniale ».

« Cette dramaturgie, observe Jouve, se déroule comme une destinée, soit en avant, soit en arrière, en mouvement droit et en mouvement contraire. L'œuvre manifeste une accumulation de formes, une vraie pyramide ; c'est une invention formelle tyrannique et continue, située au plus près de l'inconscient dramatique ; elle s'arrange aussi pour que les formes complexes rentrent dans les élémentaires, s'y perdent et y deviennent invisibles. Ce sera donc à notre inconscient d'enregistrer et de répondre, d'absorber les formes et de les rendre en émotion, ce qu'il fait parfaitement bien devant la scène au théâtre. »

Cependant Jouve s'avance plus loin encore sur les pas de Berg. Il souligne que les hiérarchies de Berg, entre conscient et inconscient, éclairent tous les arts — établissent d'un coup le rapport entre l'esprit et la technique. Berg a écrit : « ...Personne dans le public ne doit remarquer quoi que ce soit de ces formes dans le cadre de l'opéra ; il faut qu'il n'y ait personne qui ne soit rempli de l'*idée centrale* de cet opéra, laquelle dépasse de beaucoup le destin personnel de Wozzeck ». Une telle vue, dit Jouve, appartient à l'esthétique la plus générale : « ...Elle me semble, à moi, particulièrement indispensable pour l'intelligence de l'œuvre moderne. Je crois maintenant que le maximum de forme *peut* produire le maximum d'invention ; et que cet agencement, c'est l'inspiration elle-même ».

Cette dernière idée, Jouve l'a constamment accomplie.

En témoigne enfin l'œuvre de traduction : commencée avec les textes mystiques, poursuivie avec les « Poèmes de la Folie » de Hölderlin et quelques-uns des « Sonnets » de Gongora, trouvant son expression la plus achevée dans les travaux shakespeariens. Jouve a traduit, voici plusieurs années, « Roméo et Juliette » ; il travaille aujourd'hui à la traduction de « Macbeth », qui est bien la plus terrible chose de toutes les littératures. Cependant je me demande si, dans un tel domaine, rien égalera jamais la traduction des « Sonnets » de Shakespeare, achevée récemment. Jouve n'a-t-il pas avoué que cette besogne lui avait paru « presque désespérée pour qui a le sens de l'infranchissable poétique, son enracinement dans la terre » ? N'a-t-il pas ajouté : « Ici l'appareil formel le plus ouvragé, chantourné, orfévri, doit produire une *idée centrale* de sentiments, de vœux, de désirs, presque banale. Dans ce sens — est la perfection. »

...J'aimerais que ce mot, entre tous, rende compte d'une vie sacrifiée à l'œuvre, d'une œuvre soumise à l'ordre de la beauté.

PIERRE JEAN JOUVE
CHOIX DE TEXTES

Par le fleuve écoulé du sein de notre mère

glissant, nous allons vers l'immuable mort.

La mort qui le fit sourd ce sein plein de chaleur

Et l'accrocha non loin de cette aisselle noire.

(Sueur de Sang).

Page manuscrite de « SUEUR DE SANG »

La Putain de Barcelone. Peinture par Joseph Sima (1937)

Tombe
à Soglio

Dessin de BALTHUS pour *Matière Céleste* (1936)

Photographie en 1938 (Paris, Rue de Tournon)

LES NOCES

CHANT DE RECONNAISSANCE

CHANT de reconnaissance au vaste Monde
A ses soleils et ses eaux, ses aspérités, ses abysses
Et au cœur intérieur encor plus nombreux en abîmes
Avec ses agonies et avec son extase
Ses terribles retournements, sa force éternelle !
« O douleur ! ô douleur ! Le Temps mange la vie » —
Le chant de reconnaissance est aussi le chant d'expérience
Pour tout ce qui doit éprouver passion mouvement sous le ciel
Se suivre s'engendrer par la force contraire,
Et pas un jour à détruire, les neiges d'antan ne fondent plus,
Pas une âme trop pauvre n'ayant rien entendu
De ce que la vie a voulu dire et pas une ombre
Qui ne soit expliquée par un soleil.
Ainsi le poète sans auditoire fait retentir
Le chant d'alouette première
Puisque Dieu n'a pas voulu que le matin fût sans amour.

CYNTHIA

ÉCLATANTE au-dessus des mâchoires de maisons
Elle est l'œil brûlant d'où s'enfuit le jour quand il trahit la ville
Abandonnant les arbres noirs aux dieux infernaux ;
Aire froide elle va inonder le jardin
Et l'odeur de tilleul s'élance
Et le chant de l'herbe écrasée et le souffle de l'obscurité :
Cynthia rôde au milieu des grandes coupes vides
Et tarit les étoiles
Quand tout à coup venues des éternités sont apparues
Dix mille légions d'anges
Blancs tout immaculés
Inclinés immobiles, tous ont la même aile vue de profil
Nuages nuées envoyés à Cynthia la grande Vierge
Que veulent-ils ici-bas que veulent-ils éterniser ?

DES DESERTS

LA cellule de moi-même emplie d'étonnement
La muraille peinte à la chaux de mon secret
J'ouvre la porte avec ma main vide
Un peu de sang blessé dans la paume.

★

Vers toi s'envolent, Dieu, les couteaux de l'injure
Tu es si beau tu es si calme tu es si nu.
Avançons du côté de l'injure,
les fleurs d'avanie
Seules perceront le ciel de carton des douleurs humaines.

★

La guerre le vin le tabac les femmes
Le plaisir les hommes la guerre l'argent
Les femmes le plaisir les hommes les perles
Les affaires l'or le vin
le soleil discordant.

★

Traverse d'un cri mon cerveau, hirondelle aux quatre douleurs
C'est aujourd'hui le plus ancien printemps
Dans le ciel gris la croix grise du couvent
Et la tempête a métamorphosé les verdures.

★

Ma nature est le Feu
est-ce vrai est-ce bien vrai ?
La chose est consumée
Tes yeux à l'intérieur sont retournés
Une seconde vue vers le ciel les habite.

★

Je suis le Feu.
Tu es le Feu ?
L'Ardeur
Oui ma nature est feu et je te reconnais.
A l'aube tu me fais me lever de mes songes brisés
Détruis, détruis !
Et moi je suis les étincelles.

Chère image brûlée
Adieu adieu tu ne me verras plus jamais.

LA MELANCOLIE D'UNE BELLE JOURNEE

LES arbres sont immenses dans l'été pluvieux.
On ne reconnaît pas le ciel tant il y a de clairs de lune
En argent avec de rayonnantes rousseurs sous les nuées,
Pas de soleil. Ou si l'on regarde à l'envers
On voit une seule journée implacablement belle et chaude
Un implacable déroulement de belle journée
Et les terres frappées en hurlant font de l'ombre
Et les oiseaux s'enfuient leurs ailes rabattues
Et l'espace avec des mains d'azur se presse lui-même
Sa poitrine gémit sous ses mains azurées,

Tandis que la ville est encombrée par les chaleurs d'usage
Et que les filles font sécher leur poil lisse ou leur stupeur
Au sein de la belle journée.

O Dieu ! que ces filles se préparent à mourir
Et que l'été soit une saison si obscure en nos parages
Et que six millions d'habitants aient passé par ici
Sans y demeurer vraiment plus d'une heure !
O Dieu, il y a beaucoup trop de mondes inanimés
Par contre il n'y a pas assez de mort prochaine :
Cette statue
Qui bouge en remuant lourdement ses seins relevés.

DRAPERIES

PASSEZ, arbres géants meubles de la pente
Par la lumière montez un peu plus dans les ramages
Des oiseaux azurés de l'été sur les monts herbeux
Et toi crie plus fort, ciel bleu effroyable !

Transportez-vous avec plus de sérénité, d'éclat
D'esprit de jour, soyez dans le giron de Dieu
Tout à coup par fureur, poussée, sève, sueur
Quand l'abeille noircit tout autour de la vigne,

Soyez plus forts que la lumière même ne le permet
Anéantissez la forme vibrante et
Passez, marchez en moi pour être la Personne
Irréelle, aux draperies de Perfection, par nous adorée.

VOYAGEURS DANS UN PAYSAGE

AGREABLE d'errer dans le désert sacré
Et aux mamelles de la louve, ô bon esprit, aux eaux
Qui par la terre natale errent
autrefois sauvages
Et maintenant apprivoisées, de boire, enfant trouvé ;
Pendant le printemps lorsque dans le fond chaud
Du bois sont revenues les ailes étrangères

Le jour se reposant parmi la solitude
A l'arbuste de palmier, avec les oiseaux de l'été
Se rassemblent les abeilles, et les montagnes rêvées.

Car il y a des fleurs non poussées de la terre
Elles grandissent de soi-même du sol vide,
Un reflet, et ce n'est pas heureux de les cueillir.
Déjà dorées elles se tiennent fleurs défendues
Pareilles aux pensées...

VRAI CORPS

SALUT vrai corps de dieu. Salut Resplendissant
Corps de la chair engagé par la tombe et qui naît
Corps, ô Ruisselant de bontés et de chairs
Salut corps tout de jour !
Divinité aux très larges épaules
Enfantine et marchante, salut toute beauté,
Aux boucles, aux épines
Inouï corps très dur de la miséricorde,
Salut vrai corps de dieu éblouissant aux larmes
Qui renaît, salut vrai corps de l'homme
Enfanté du triple esprit par la charité.

Témoin des lieux insensés de mon cœur
Tu es né d'une vierge absolue et tu es né
Parce que Dieu avait posé les mains sur sa poitrine,
Et tu es né
Homme de nerfs et de douleur et de semence
Pour marcher sur la magnifique dalle de chagrin
Et ton flanc mort fut percé pour la preuve
Et jaillit sur l'obscur et extérieur nuage
Du sang avec de l'eau.

Sur le flanc la lèvre s'ouvre en méditant
Lèvre de la plaie mâle, et c'est la lèvre aussi
De la fille commune

Dont les cheveux nous éblouissent de long amour ;
Elle baise les pieds
Verdâtres, décomposés comme la rose
Trop dévorée par la chaleur amoureuse du ciel d'en haut,
Et sur elle jaillit, sur l'extérieur nuage
Du sang avec de l'eau car tu étais né.

Lorsque couchés sur le lit tiède de la mort
Tous les bijoux ôtés avec les œuvres
Tous les paysages décomposés
Tous les ciels noirs et tous les livres brûlés
Enfin nous approcherons avec majesté de nous-même,
Quand nous rejetterons les fleurs finales
Et les étoiles seront expliquées parmi notre âme,
Souris alors et donne un sourire de ton corps
Permets que nous te goûtions d'abord le jour de la mort
Qui est un grand jour de calme d'épousés,
Le monde heureux, les fils réconciliés.

ESPAGNE

MAGIQUE fille et bombée par la lune !
Les arbres du plateau de craie houlent vers toi
Touchante ô messagère d'amour près des cirques
Dénudés auprès des villes de peinture
De désolation que courbe un fleuve vert.
Le ciel est noir, avec le temps. Un beau rapace
Prend son vol entre tes seins vers la nuée
Et se perd, sans pouvoir atteindre au Supplicié
Ni t'apaiser ô fente rose des calcaires.

L'ŒIL ET LA CHEVELURE

PLACE dans la longueur et fermé comme un puits
Sur le secret du moi, entre des moustaches
Pour toute éternité ; c'est une bouche ouverte
Qui souffle un long drapeau de malheureux parfum
C'est un regard voilé
Qui prononce un vocabulaire ensanglanté.

LAMENTATIONS AU CERF

SANGLANT comme la nuit, admirable en effroi, et sensible
Sans bruit, tu meurs à notre approche.
Apparais sur le douloureux et le douteux
Si rapide impuissant de sperme et de sueur
Qu'ait été le chasseur ; si coupable son
Ombre et si faible l'amour
Qu'il avait ! Apparais dans un corps
Pelage vrai et
Chaud, toi qui passes la mort.
Oui toi dont les blessures
Marquent les trous de notre vrai amour
A force de nos coups, apparais et reviens
Malgré l'amour, malgré que
Crache la blessure.

DE DEO

« O mon Bien-Aimé je
Consens pour ton amour
De ne voir ici-bas la douceur de ton regard
De ne sentir l'inexprimable ardeur du baiser
De ta bouche ; mais je
Te supplie de m'embraser de ton amour. »

★

O grandeur de la nuit où sauve tu t'éveilles.
Et qui t'a dit sauvage que tu étais sauve
O sanglot ! Et qui te mesura la force vive
Sans diminuer ton extraordinaire cœur
Et ta lèvre formée pour manger jusqu'à Dieu
Comprenant mieux que jamais le carnage
Mais obligée parmi les épreuves de confusion
De vivre plus fermée recueillie disant non ?
O quel doute en quel couloir tremblant ! Et tu es
Lasse à tomber quand s'ouvre et va s'ouvrir
La nuit où tu es sauve ; car tu vas mourir.

INCARNATION

J'AI tant fait que tu parais lointainement
Sur la chair même de la vie
Au terrible fumier des plaisirs
A la mécanique des démons de l'insurrection
A la raison logicienne des morts !
Tu parais avec ton linge de douleur
Avec ton ris
Avec ton pardon à notre infâme bruit
D'intestin de larmes.

MATIÈRE CÉLESTE

MATIERE CELESTE DANS HELENE

DANS la matière céleste et mousse de rayons
Dans le crépitement de l'espoir et la tension belle
Des entrevues des yeux
Des chauds yeux de destinée écrite d'avance
De faces roses de corsages étincelants
De pieds d'or
Dans la matière de la connaissance aux yeux tout blancs
Quand dansent précipités les blocs d'ozone
A chaque cil ouvert
Quand sont précipitées pliées et refermées
Les immenses statues vertes des paysages que l'on aime
Ici mon ami s'est recomposée
Hélène, après qu'elle est morte.

HELENE

QUE tu es belle maintenant que tu n'es plus
La poussière de la mort t'a déshabillée même de l'âme
Que tu es convoitée depuis que nous avons disparu
Les ondes les ondes remplissent le cœur du désert
La plus pâle des femmes
Il fait beau sur les crêtes d'eau de cette terre
Du paysage mort de faim
Qui borde la ville d'hier les malentendus
Il fait beau sur les cirques verts inattendus
Transformés en églises
Il fait beau sur le plateau désastreux nu et retourné
Parce que tu es si morte
Répandant des soleils par les traces de tes yeux
Et les ombres des grands arbres enracinés
Dans ta terrible Chevelure celle qui me faisait délirer.

ESPIRITUAL

APRES un siècle la figure de la soie
Qui retenait le ventre avait été brûlée
Mais la lettre mise en contact avec le nard
Enfermée dans un coffre de fer
Sentait encor l'intime en traversant le fer.

PAYS D'HELENE

C'EST ici que vécut incomparable Hélène

Ici l'ancien lieu de verdure et d'argent
Les larmes de rochers
Un soupir bleu mais des déchirures pensives
Un noir éclatement de rocs argentés

Inhumaine inimaginable en robe à traîne
Qu'elle était belle vêtue de rochers
Et costumée des fleurs de l'herbe ! Dans les grands soirs
Des maisons hautes blanches et nues, grillagées

Qu'elle était nue, et triste ! et quel amour aux mains
Et quelle force aux reins de sa splendeur rosée
Qu'elle avait pour aimer et pour vivre ! et quel sein
Pour nourrir ! et les douces pensées
De son ombre ! et comme elle sut bien mourir

Dans un baiser rempli de palmes et de vallées.

On voit ici ses larmes
Conservées dans ce couloir vert du cimetière
Un immense noyer endormi par le jour
Tient à ses pieds les tombes perles de couleur

Quand le noyer touche aux glaces penchées
Etincelantes du glacier de l'autre bord
Où cinq dents d'argent difformes du malheur
Luisent
Sur le gouffre harmonie d'éternelle chaleur.

Prairie du jour ! avec les flots et les forêts
De maigre vert et les roches du ciel
Ta pureté céleste cri cruel
Fait mal, comme une morte ici marchait.

Hélène aimait-elle glaciers et noyers
Passait-elle son bras nu sur ces montagnes
Baisait-elle de sa robe les prairies
Dans les yeux de son amant jeune espérait-elle
Et la lumière d'or ?

Loin, les rochers d'Hélène
Découpés par le soleil des funérailles
Luisaient au milieu des dents noires et dures
Et le soleil se déchirait religion pure.

NOIR RETOUR A LA VIE

SI les ombres sont plus profondes que du sang
Ou si le sang est beaucoup plus profond que l'ombre

Qu'il fait noir aux limites de ton rouge sang
C'est ici qu'on entre dans la vierge nuit
C'est ici qu'elle déchaîne ses lumières
Fourmillante d'espace et d'espace et de nuit
C'est ici qu'elle fait tomber ses fracas
Manteaux et nudités profondes

C'est ici que tout naît et se lève et adore
En néant dans le Rien et le Non de la nuit.

HELENE DIT

CONDUIS-MOI dans ce couloir de nuit
Amant pur amant ténébreux
Près des palais ensevelis par la nostalgie
Sous les forêts de chair d'odeur et de suave
Entrecoupées par le marbre des eaux
Les plus terribles que l'on ait vues ! Et qui es-tu
Inexprimable fils et pur plaisir
Qui caches le membre rouge sous ton manteau
Que veux-tu prendre sur mon sein qui fut vivant
Dedans mon pli chargé des ombres de la mort
Pourquoi viens-tu à l'épaisseur de mes vallées de pierre ?

LISBÈ

DES ressemblances nous ont égarés dans l'enfance
Etions-nous donc du même sang
Des merveilles se sont passées qui nous ont fait peur
Près des édredons de pleur et de sang rouge

Etions-nous du même sang quand je rencontrai ta blondeur
Avions-nous pleuré les mêmes larmes dans les cages
Et quels attentats en de secrètes chambres
Nous avaient faits aussi à nu que nos pensées ?

O morte il me revient des sons étranges
O vive et un peu rousse et la cuisse penchée
Tes yeux animaux me disent (velours rouge)
Ce qu'un génie n'ose pas même imaginer.

LA CHASSE

LES premiers grands oiseaux on les abattait nus sous le corsage
Le grand compas on le voyait ouvert sur la mousse
La biche hurlait au couchant de ses grandes jambes
Elle égarait sa bague à ses jupons de honte

Son cœur luttait toujours entre ses jambes
Laisse-moi rouvrir ce cœur et y plonger mon malheur
Admirable et vaincue était sa fesse d'ombre,
Et des deux yeux leur sortaient les poumons d'horreur.

PHENIX

PROSTITUEES, qui produisez des larmes douces
Œil dévoré dans la fourrure
Pierreuse main
Combien vous accourez sur les lugubres traces

Immenses yeux ventres bénins immenses mains
Immenses sacrifices de chair rose
Indispositions sanglantes
Vêtements éveilleurs collants

Revenez de la salive et du massacre
A peine plus blessées de votre blessure
Gouffres ! repoudrez les maillots de vos chairs
Rien ne refermera jamais la chaleur du gouffre

Vous n'avez pas comme la sainte vierge
Recomposé l'hymen pour arrêter l'entrée
Du démon et demeurez grandes ouvertes
Et profondes et sacrées comme les choses ouvertes.

TENEBRES

PITIE pour le dieu nu qui meurt dans nos ténèbres
Non point de pitié
Pour celui qui voulut la chair de nos ténèbres
Et nous retourner de péché en ténèbres
Plus de ténèbres ajoutées ! et nous reporter
Par un flot de sang de supplice ajouté
Nous ranimer à la minute des ténèbres
Pour qu'en lui la ténèbre infiltrée sacrifiée
Se change, mort des vers dans le labeur du cœur,
En jour, dans un azur que notre âme ne sait
Car nous n'avons que mort pour véritable azur.

LA PUTAIN DE BARCELONE

OSE entrer après moi dans ces portes claquantes
Où suffit la cheville ardente d'un regard
La grotte brune avec le parfum du volcan
T'attend parmi mes jambes

Je suis la communiante des poils noirs
Le regard inhumain les soleils hébétés
J'ai traversé vingt fois sous un homme la mer
Le sol gras de la mer et le bleu et les moires

Ton membre de lumière mes globes de malheur
Et l'œil couché sous une bouche décorée
Ce sont là mes plaisirs mes vents mon désespoir.

Une ombre te retient l'univers te soutient
Client ! Nous deux épouvantés en un
Paraissons une fois sur l'éternité noire.

KYRIE

★

UN drapeau sur la mer

C'est le signe que je déroulais en moi seul
Dans le désert du solitaire amour et à tes pieds
Extasié ne pouvant jamais regarder mon extasié
Parfois en te touchant d'un doigt mort de regret
Evanoui déjà Principe ! et tu laissais
Le travail acharné des paroles amères.

Quand je franchissais les accords
Quand je cherchais en la blessant la règle
De tes yeux sans repos cruels et du démon,
C'était toi que j'aimais
Par ces pleurs de ma bouche
Ouverte comme celle des morts, c'était Ton nom
Qui prenait ma parole, énigmatique Sein
Pensive de la Mort.

LAMENTO

MES mortes sont couchées dans des tombeaux ouverts
Sans histoire sous les pluies glacées et mes vivantes
Sont blessées par mes yeux et mes noirs souvenirs
Je songe en gémissant à ces poils de son âme
Qui noirs étaient beaux comme l'encre de Chine
Au temps des cerises

Qui roux parfumaient le silence sans honte
Et m'accablaient de faute et de froideur
Et combien j'étais triste à la terrible chambre
A ses mains mais je confonds les mains
Les grandes mains bleutées promises au sommeil
Et les nattes coupées

Et combien dans les rites d'infidélité
S'accomplissait le sein de ma fidélité
Et quel égarement prenait tout ce labeur
Absolu ! Saint des seins
Saint des saints retourne à ta haute nature
Car j'arrive là-bas vers le tombeau ouvert.

PAYSAGE INTERIEUR

LES arbres sont frappés par le ciel de bleu or
Les arbres sont touchés par l'ombre des prunelles
Les arbres sont géants les temples sont levés
Pareils à des dents pures sur le rocher
Le fleuve descend prenant les sables qu'il adore
Les fonds sont allégés par la mémoire
Les colonnes de la poésie forment des villes
Le soir devient solide autour des corps mortels
Une femme amoureuse
Recueille dans son tablier les cendres d'un mort.

...Les soleils que tu plies dans tes cuisses énormes
Ont l'éclat qu'ils avaient dans les tombeaux des rois
Leur majesté pesante épuise la fonction
De la colonne humaine et ne laisse que l'eau
Du chagrin (car jamais l'unité de l'azur
Ne fut admise au fond de si profonds vaisseaux).

REINE DE LA NUIT

DANS les couloirs épais vêtus de damas rouge
Dans les salles fermées où le malaise dure
Tombant des murs à ce lit jouisseur
Je connais tes beaux yeux tes oublis et les reines
Du somme — de la nuit — je connais tes pensées
Je connais tes menées et tes fards — tes pensées
D'indifférence — et le marteau lourd de ton cœur
Tes souffles tes halètements tus et les colliers
De tes grâces profanantes comme l'éclair
Tes baisers virginaux aux fentes les plus noires
Ton cadavre expirant de gratitude pure
Et pâlissant encore
Comme un fleuve laiteux laisse périr le lait.

Télégramme du Général de Gaulle (11 mai 1945)

Telegramm — Télégramme — Telegramma

38/37MOTS

46

von — de — da

+8146 S PARIS 054 33/32 11/5 1620 = RS CT

Aufgegeben den

Stunde Heure Ora

Erhalten - Reçu - Ricevuto

von — de — da BERNE

Stunde-Heure-Ora 1125

Name — Nom — Nome

Befördert ALGER RS = ETAT =

nach — à — a

Stunde-Heure-Ora

Name — Nom — Nome

Nº 44239

PERCEVOIR 60 CTS =

REEXPEDIE DE BERNE =

PIERRE JEAN JOUVE

RUE DU CLOITRE 2 GENEVE =

NO 42 97/CABDIR J AI ETE TRES SENSIBLE A VOTRE MESSAGE MERCI
D AVOIR ETE UN INTERPRETE DE L AME FRANCAISE PENDANT CES
DERNIERES ANNEES = GENERAL DE GAULLE +

No 2ter. — I. 40.

Photographie en 1946 (Paris)

★

JE suis succession furieuse des promesses
Le calme du tombeau la plastique des anges
Le sourire des putains est mon sourire
Je suis un envol migrateur des oiseaux
Sur un quartier désolé noir de grande ville
Un regard plein de hargne humide et de désir
Des plantations désertes
Dans les endroits abandonnés d'un corps
Aussi une beauté parfaitement confuse
Que la honte naturelle a développée
Je suis encore une ombre étendue sur la mer
Pareille à un drapeau un linge ou une main
Je suis un désespoir aussi sec que la pierre
C'est par le mal que je me sens spirituel.

★

DONNE à la thébaïde et au sépulcre
Leurs accents merveilleux remplis de roses noires
Et leur majesté chaude, et donne à la clarté
Cet accent des horizons que nul n'a jamais vus
Tant ils sont beaux de quels accidents inconnus,
Et donne à la chair pure
La haute tranquillité de se défaire
Elle redevenue vierge comme avant
Sur les vierges rayons au plus loin de cette aire,
Et donne à la pensée de se poser en ailes
Sur les arbres couchants dans un instant futur.

RESURRECTION DES MORTS

A Rimbaud

JE vois
Les morts ressortant des ombres de leurs ombres
Renaissant de leur matière furieuse et noire
Ou sèche ainsi la poussière du vent
Avec des yeux reparus dans les trous augustes
Se lever balanciers perpendiculaires
Dépouiller lentement une rigueur du temps ;
Qu'ils naissent ! Comme ils sont forts, de chairs armés.
Je les vois chercher toute la poitrine ardente
De la trompette ouvragée par le vent.

Je vois
Les morts ressusciter des morts pour accomplir
Et les vivants mourir au même temps
Gravitation d'or, géants comme des points
Innombrable population faible de tous les morts !
De têtes recouvrées de seins recomposés
De génies reformés de sexes couronnés !
Sujets violents brillants gravitant et sans nombre
Vous cherchez le regard sur l'infernal rayon.

Je vois
Le tableau de Justice ancien et tous ses ors
Et titubant dans le réveil se rétablir
Les ors originels ! Morts vrais, morts claironnés
Morts changés en colère, effondrez, rendez morts
Les œuvres déclinant, les monstres enfantés
Par l'homme douloureux et qui fut le dernier,
Morts énormes que l'on croyait remis en forme
Dans la matrice de la terre.

Morts purifiés dans la matière intense de la gloire,
Qu'il en sorte et qu'il en sorte encor, des morts enfantés
Soulevant notre terre comme des taupes rutilantes
Qu'ils naissent ! Comme ils sont forts, de chairs armés !
Le renouveau des morts éclatés en miroirs
Le renouveau des chairs verdies et des os muets
En lourdes grappes de raisin sensuel et larmes
En élasticité prodigieuse de charme,
Qu'ils naissent ! Comme ils sont forts, de chairs armés.

Est accomplie l'histoire entière de chair humaine,
Expliqué le labeur de la très pauvre chair.
Et l'abîme tendu de l'organe à l'esprit
Horrible odeur, est dilué. Dieu pur !
C'est le glorieux corps qui fait l'esprit
Plasma d'illuminantes soumissions
Toute la gloire est pour ce corps prostitué
Qui fut misère aux avenues de vie
L'esprit mourant d'amour et d'inanition.

Laissez les morts enterrer les morts, a-t-il dit
Quand les vivants ne se séparaient pas des morts
Quand la lumière manquait aux morts
Et quand le canon cruel des vivants
S'acharnait longtemps sur les pauvres morts.
Laissez les morts enterrer les vivants
Aujourd'hui que la terre est élévation
Défunts charnels debout leur cœur triste et sanglant
Ouvrant leur liberté de tous leurs membres blancs.

Mais aujourd'hui debout dans l'Agneau (qu'ils sont grands !)
Les morts injustes, les morts indolents ou pécheurs
Tous également nus comme les grands élus
Les femmes prostituées avec les mères
Les seins avec les saints
Tournoient pour le salut du vivant par les morts
Sa délivrance de la griffure infâme des vivants
Pour la joie des vivants par le soleil des morts
Qui répond incendie au long soir du néant.

Rassemblés les vrais os de vos chairs amoureuses
Vous êtes devenus légers et transparents
O soleils quel espoir
Quelle électricité coulent dans un vrai sang !
Ces corps faits de triomphe de pardon
Transportent la patrie subtile à leurs talons
Ils regardent au fond des portes d'émeraude
Le pouvoir de pitié fonder l'espèce d'aube
Où l'âme ne craint plus d'être récompensée.

Et morts soleils ! vous pénétrez en corps dans la justice
Evadés des pouvoirs meurtriers de vos morts
Vous perdez le sommeil trop longtemps satisfaits
Vous reprenez le combat singulier
Qui à toute éternité est la vie même
Eclatants, c'est l'esprit qui ne peut pas mourir
Ce fils de Dieu ! mais c'est le corps qui ne peut pas
Quitter son esprit bien-aimé qui l'a fait vivre
Ni le corps ni l'esprit ne pouvant quitter Dieu.

Tu surgis seule et dans le feu de ton visage
Encore et pourtant je te reconnais
O face blonde et qui sur cette terre
Vécut auréolée de cheveux d'or flambants
O corps immense et qui sur cette terre
A porté le buisson le plus rouge et ardent
Visage dur qui eut des yeux ou lacs profonds
Velours où tu t'évanouis de plaisir pur.
Mais tu as bien changé : tout le vrai a cédé
Sous la fatale invasion de la merveille
Tu es heureuse enfin après la tombe vieille
Tu n'as qu'un seul regard pour ton ascension.

Conscience attendue depuis que tous les mondes
Tournent dans les rayons de leur injuste nuit
Nous avons toujours su que tout viendrait des morts
Qu'ils régneraient, qu'ils seraient rayonnés et nus
Nous avons toujours su depuis le divin Mort
Que la mort était lasse éloignée et vaincue
Que son mal en immense gésine et toujours bu
Par le mystère n'était plus ni néant ni moire
Mais soupir — le géant qui sauve la patrie.

La charité joyeuse ne sera pas
Ce but intime de l'univers ne sera pas
Ce triomphe de la force ne sera pas
Avant l'accomplissement brûlant du corps des morts ;
Tu le disais, martyr ressuscitant
Mais nous obscurs dans la douceur obscène de nos toisons
Nous ne l'avons pas cru avant toute la mort
Et les doigts dans la plaie ne nous éclairaient pas
Car il fallait les sept sceaux du livre et l'éclat.

GREGORIEN

DES vols fixes d'oiseaux parfaits qui sont sans air
Profondément nus
Ne retombent jamais sur le sein de la terre
Mais se meurent de joie se meurent de lumière

Ces oiseaux sont des mots et sur des lèvres nés
Pur ornement de la voix fraîche entre les vents
Du haut du bas et tout l'imprévisible temps
Ils se tournent pour adorer, et se demandent

S'ils sont toujours du corps ou peut-être de l'âme
A la fin, et s'ils ont gravi les échelons
Qui déplacent le mot de la voix au silence
Et du silence à la terreur de l'âme

Ils se demandent, venus de cœurs emprisonnés
Tous, ils se demandent et ne savent
Vocalises de durable vocation
Ils sont et triomphalement pénitence.

★

GLORIEUX accident, mort admirable et douce
Il me semble que tu me couronnes poète ;
Sur les monts incendiés de quelque Liban
Se tiendront mes lecteurs étranges et profonds

Dans les feuillages toujours émus de quelque chêne
De forêt répandant les lointains horizons
Seront ces yeux pensifs de la lumière pleine

Effaçant l'injustice longuement subie
Ils féconderont la steppe de ma vie
En bosquets en ruisseaux rayonnants et parlants.

★

UNE coupe est silencieuse sur une table
Des manuscrits signifient des anneaux
Les murs sont chastes comme des blancs murs
Le prisonnier chaque heure ici respire

Rien ne serait prisonnier si tout
Etait mort à sa main et si tout son désert
N'était toujours qu'un seuil
A ce rien qui parfois fructifia en Tout.

★

O parole humaine abolie
Dont les ors ont nié l'abîme !
Dans l'abîme les ors te nient
Et les objets de ta demeure
S'évanouissent par horreur.

Je me retournai je ne vis
Plus un mur égal à sa pierre ;
Si mes mots n'ont pu même dire
Ton nom, Souffle, nourri d'absence,
Dans la ruine je n'eus qu'un bien

Nier le non dans ta présence.

VILLE ATROCE

VILLE atroce ô capitale de mes journées
O ville infortunée, livrée aux âmes basses !

En toi quand j'arrivais sur l'avenue de flamme
Parmi juin miroitante des millions d'objets
En marche et d'espérance verte et d'oriflammes
De la dure Arche de Triomphe qui coulait

O ville célébrée ! je voyais ta carcasse
De pierre rose et rêve immense et étagée
Le Louvre couché sous la zone du grand ciel
Lilas, et l'infini des tours accumulées

La vaste mer bâtie de la paix et la guerre
Entassement gloire sur gloire ! et mes douleurs
Surprises par le temps pleines de rire et songes
Quand l'Obélisque monte à la place d'honneur.

Navire humain sous le plus vaste des étés
Lourd de détresse auquel j'avais rangé ma rame
Où tue était la mer dans les calculs infâmes
Du typhon préparé par tous les mariniers ;
Sage et mauvais navire et la poupe encor reine
Trop de clarté méchante allongeait tes bas flancs
Trop d'assurance avait ton entrepont de haine
Trop de mensonge aux mâts bleus blancs rouges flottants,
Tout le monde était mort, et sans voir j'allais ivre.

A UNE SOIE

JE te revois tendue et sans vent dans les ombres
Propice et large soie étalée sans un pli
Tendre comme un discours de musique profonde
Et suave de trois cruautés agrandies.

Le morceau appelant mon cœur était le rouge
Non pas rouge mais rose en pétales séchés
Non pas de fleur mais par angoisse un peu lilas
Des tons exquis du sang longtemps assassiné

De Marat. Et le blanc portait comme un soleil
Le reflet jaunissant des plus calmes peintures
La douceur de la mort
Et le travail de l'huile à des couchants vermeils.

Le bleu seul était dur comme les yeux des airs
L'opaque ciel qui tient la majesté divine
Prisonnière en lui ainsi qu'au premier jour
Le ciel terrible et pur à la hampe guerrière.

Mais surtout la Parole en sortait la criante
La violente importante et parole d'effroi
Ou parole d'amour lue la première fois
A haïr, adorer, à laisser ou à prendre

La parole adorée dans des lettres dorées
Qui font relief en trébuchante maladresse
Qui hésitent comme en souffrant
A retourner d'un soc le monde labouré

Parole feu riant ! perspectives humaines
Ouvertes par les mots étranges d'un enfant
Et l'histoire achevée les pierres calcinées
A remettre en poussière et jeter sur les chaînes !

La parole pour plaire à Dieu disait Justice
Sur les bois englués d'un holocauste fort
L'honneur avait rempli le sacrifice
Et le drapeau disait : Liberté ou la Mort.

LE BOIS DES PAUVRES

I

ÉLANCÉ de Larchant l'oiseau tirait son vol
Il se posait bientôt, c'était le bois des Pauvres
Une lumière immense emportant le grand sol
Jusqu'aux fins d'horizon sous des nuages fauves.

Ces arbres-là petits avaient l'ombre commune
Etendus sur des chemins brisés d'ornières
Les chemins sans histoire et toujours simples nus
Les lieux dans la tranquillité d'herbe et de boue
Les villages de tapisserie perdus ;

Bien loin bien près, les forêts de la gloire
La frange de cheveux des villes capitales
Les grands hêtres royaux et penchés
Ou drapés et pieux comme dans les églises
L'arête de pierre pure ;

Ici l'oiseau ne voyait rien qu'un bois des Pauvres
Ici c'était l'humanité l'arbre des Pauvres
Ici c'était la pauvreté nation pauvre.

Je me souviens et je hurle de souvenir !
Des routes des banlieues après l'appartement
Dans le mystère et attendant le coup de mort !
Je me souviens d'avoir connu d'anciens lions

Et d'avoir vu les vils poussiéreux descendants
Camper dans les tableaux dorés et de ramures
Et séparer toute ombre et tout soleil
Par le souffle agile de la trahison

Je me souviens de mes malheurs ! et je me tiens
Dans toi dit l'oiseau noir : mon bois des pauvres
Le seul qui nous convienne à nous braves d'antan
A nous inexplicable honte à nous parents
Des bêtes aveuglées
Que Dieu laisse mourir en sang et à peu près.

II

O haine ! ô haine verdoyante ! et de l'été
Le spectacle futur. O haine toujours verte
Poussée du sol humide et de larmes trempé
Après l'épreuve lente et sinueuse de la terre.

Ils ont noyé ce cœur prenant de déshonneur
Fait tomber l'arme qui défendait le sol pauvre
La liberté des pensives ornières
A vu passer le pas affreux du faux berger
Ils ont rempli de sang la mairie et l'église
Ils ont forcé les femmes ils ont tué
Cent hommes pour un seul et retiré la viande
De la bouche enlevé le trésor emmené les
Tribus entières torturé les cœurs
Torturé l'homme juste et le prisonnier.

Ils ont couvert les colonnades d'ombre
De mensonge, ils ont tapissé les espoirs
De mensonge, ils ont mis le mensonge en les songes
Ils ont rempli le ciel d'aérien mensonge.

III

L'esprit du cœur de division
A soufflé sur les opéras et les cathédrales
Sur les hautes rues dans les vieilles masures
Les monts déserts les plus sinistres marécages ;

L'esprit de misère a terrassé l'enfant
A vidé l'homme et fait pleurer l'épouse
L'esprit de honte a tordu le cœur des amants
Qui cherchent dans l'ombre des armes

Mais l'esprit de chagrin les a soudés ensemble
Comme les bois sous le vent pauvre
L'espoir leur a rendu la chair, nouvelles mains
Pour se tenir s'unir écorchés mais humains

Nouvelles mains pour chérir la guerre
Ne plus faire une économie de la mort
Et tous ressuscités par le martyre
Ecorcher comme il le faut la terre !

IV

O Haine ! Haine verdoyante aux feuilles vraies
Arbre, jeune arbre vert, arbre de Liberté !
Nous unirons vos formes d'été sur l'ornière
D'un grand bois de douceur né pour la pauvreté.

Haine, verdoie ! Amour, gonfle le bois !
Triste vent fou, fais abonder le sol auguste
Rends le cœur aux moissons,
Fais-nous trembler de ton désir océan fruste,
Ecoute-nous encore ô terre,
Appelez-nous aux chartes neuves de la mer
Et remplissez par nous la loi du Christ.

MA NUIT

MA nuit tu me fais signe un peu avant l'aurore
Ici c'est l'épouvante et le frisson
Les meubles habités par les pas du vainqueur
Et la folie luisant aux dépouilles des ors
La résignation
Et l'horrible. O jour des morts extraordinaire
Tombant sur mes pensées quand je gémis de voir,
A ta lumière je redresse un dos étrange.

RUE SAINT-SULPICE

HAUTE et très froide et ses lugubres yeux
Blancs sous l'électricité fade elle est sans fond
Dans la soie et l'amour et la suie sans plafond :
Tu accables l'esprit tu exaltes le froid
Miséreuse parmi les ors des tristes dieux,
Les jambes de tes pas sont des tubes tout droits
Tes mains touchent géants des cauchemars très vieux
Les visages sont sourds pâles comme à l'amour
Le noir est infini et tombe avec la pluie
Sur le sol bourbeux et noyé de remords,
Nul ne sait depuis quels âges il est mort.

RUE DE RIVOLI

TOUT entière sombre et claire : notre gloire
    Une gravure écrite par l'amour d'un fou
S'étend sur la longueur du quartier promontoire
Noirci ! Mais c'est l'aurore au bout
Des jardins enfiévrés par la force de juin
Et dans le ciel de mer les drapeaux ces navires
Partent sous le vent chaud des poitrines de femme
Les sèches trois couleurs le couperet ancien
Les fêtes du vieux sang
L'énorme liberté française bat des flammes
Et pour elle le flot des passages se fend.

THEME DU 11 NOVEMBRE

BRILLE soleil des morts
A qui n'a plus de foi en le soleil levant
Brûle et délivre-nous de ces longues filières
Mon cœur,
Il n'est rien que la mort pour contenter l'aurore
Des dénudés, il n'est que pâle Mort
Pour faire vivre en haut de nos vieilles alarmes
La paix le contredit de l'amour à la mort
Et toi chagrin volant
De déception tout chargé dans les airs
Regret ! vole à travers l'absence de chagrin.

Que le soleil des morts renaisse sur l'armure
Du château clandestin
Que la clarté des murs résonne c'est l'aurore
Et que les cavaliers y tombent en marchant
Ayant perdu toutes fontaines
Qu'ils soient silence enfin aux terres de la fraude
Dedans dehors et s'enfonçant à la nuit chaude.

Divine porte à chaque guerre ouverte
D'un seul vers Dieu toujours plus claire ouverte

Et qui je vois s'approche de mes yeux :
Soupir de rien ô seuil de la maison
Amour complet et toi la face morte
De l'aimée sise au lierre douloureux
Je désire ton jour tes vastes frondaisons
De sombre et de parfait
Je veux être là-bas comme en nulle peinture
Soumis et contenté le maître avec l'aimé
Et d'horreur aboutir à l'adorée figure.

Ecoute, porte du Ciel !
Tu connais l'éternel deuil de ces terres de patience
Tu apprécies l'éternelle injustice de mon cœur,
Tu es la force et l'enfance
Et la seule Liberté.

Car je suis le pilote fort désespéré
Dont la barque est blessée des hontes de la mer
Ecoute ô porte du calme
Ouvre déjà tes nuls vantaux de fer
Ouvre j'ai hâte et mon cœur est en flamme

Ecoute ô Liberté qui as sur Dieu regard
Arrive et lève en moi le rideau de mon âme.

VIERGE DE PARIS

OH tu pleures. Silence obscur larme perdue
Et fleur de la maison sous le nuage noir
Et la menace de la mort d'antique nue
Le drapeau de la honte avec le ciel du soir,

Tu pleures. Des brillants descendent sur ta pierre
Et touchent à ton sein. Les miracles lointains
Sont errants et l'amour voit périr ta paupière
O toi qui inspirais le poète prochain

Dans une odeur de bois augustes et de livres
Regardant des trésors par d'anciens carreaux
Mère de notre amour et Vierge qui ne livres

Pas le secret de liberté mystique et beau
Mais conserves l'hymen sous la robe de pierre
Et rêves l'éternel pardon comme du lierre.

HYMNE

Car j'installe, par la science,
L'hymne des cœurs spirituels
En l'œuvre de ma patience.
Stéphane MALLARME.

ET toujours à travers le vent
Et toujours au seuil de l'orage
Et toujours le crime comptant
Le ciel pur est inaltérable

Toujours à travers le sans être
Les atomes défaits la fin
Du monde proche à la fenêtre
Cet amour le pain et le vin

Toujours je mangerai ton bien
Toujours je connaîtrai ton centre
Toujours je verrai ton œil peint
Et j'aurai ta présence absente

La beauté traverse le temps
Le silence conquiert une arme
Je suis depuis longtemps ton sang
Ta pensée unie et ta flamme

Tu es mon maître et ma victime
J'écoute mon aimé dormir
L'amante me quitte à la cime
Et je me hasarde à mourir.

Univers livré aux durs anges
Coupes abîmées sur la mer
Monde en ruine et sales langes
Et peuple de victoire amer

Archange ! fais donc une pause
Au sang précieux. Suspends-toi
Retiens quatre vents d'épouvante
Avant la marque sur Juda

Archange que la vérité
Soulève ma mort d'une eau pure
Jamais ne sera chaud l'été
Tant qu'une éternité obscure.

DIADÈME

CANTIQUE

O non intouché ! si les ombres
Sortent du sexe fabuleux
Buvant ton azur et si sombre
Est même l'art d'un or pieux

Pour le paria de la terre
Ou moi ! si le pur est sorti
De mes mains et si ma faute erre
Loin de t'aimer comme j'ai dit

Si je suis seul à la clarté
Des bougies de mort et fatigue
Sans toi sans elle ou habité
D'une importance de suicide :

Seigneur adoucis ma raison
Seigneur donne sommeil aux charmes
Seigneur encre de la maison
Refais dans notre mot la flamme

Pour que moi séminal en toi
Désastre tôt chargé de cendre
Mon sacrifice malgré moi
Ma grâce ! je puisse l'entendre.

NADA

IL faut encore croiser un sanglot de mes mains
Envers ton vide sein rose au cœur violet
Rose tranchée à mort et violette usée
Foliole, abolie, vase sans lendemain

Aimer que Tu ne sois : à tout rayon senti
Nul ! et de ton refus un chemin se répand
Droit dans Ton cœur qui tout aime et reprend
Tout par notre vouloir à tuer les aimés.

Si j'annule ce cœur il brisera sa cage
De faim ! Mais c'est encore un décor de langage
Que brise ton baiser ô Sang. Et sang tué.

LE PASSAGE

TOUT écueil répandu sur mer
Toute douleur toujours s'assemble
Autour des pointes : plus de fer
S'accroche et plus de gouffre ensemble

Se produit dans d'horribles cris
A mesure qu'enfle le vent
A mesure qu'un cœur d'oubli
Se creuse à mesure du temps !

Mais il est un angle ; une vive
Marque, auréole, bleu parfum
Où la boussole folle à suivre
Des désirs et sexes défunts

Ne sert plus : plonge à cet acide
Cette ombre de trouée où Dieu se tient languide.

LE BEAU NU

QUAND reprendra la fureur d'espérance
Le beau nu la belle pensée
Le seul amour au Vainqueur de souffrance
Quand reviendra la force humiliée

Quand, le poème ayant créé un monde
Seul, réel, franchissant la mort d'un seul trait,
La lumière éternelle et des monts bleus sur l'onde
En serai-je le maître indifférent défait

Qui regarde à la porte de Dieu ? et ne tremble.

LE MONT DE DERELICTION

PENTE de rocher blanc vers le ciel de colombe
Désert pour un muet incendie de mémoire
Enorme et je suis là et sans récif et sans
Un soupir de la vie sous le rayon ardent
Qui sur l'énormité ne connaît pas une ombre

Enorme et blanc d'Asie et pas un souffle et pas...

Salut temple intérieur ! muraille ! vêtement
Du monde consumé. Tu brûles en éclats
De ta sainte et ta sèche et solaire montée
Ma déréliction pareille à mes années.

CIEL

CIEL vaste ciel sans ride poids ou souffle
Signe et demeure du remous ô temple unanime et bleu
Contemple énorme coupe aveugle néant heureux
Celui qui dans la pierre est ici-bas et souffre

De ses chagrins comme des sirènes de la mer
Séduit — voyant ton infini hautain inaccessible
Infini ou absurde auquel il est amer
Son angoisse visant le seul bleu d'une cible

Ciel matière de Dieu ! symbole plus qu'éther.

CHAGRIN

CHAINES de montagnes brûlant dans un monde transformé bleu
Cent fenêtres de fronts d'argent dans la grâce d'une fenêtre
La tête enfin d'une ivre plante au fond du ciel merveilleux
Ne parviennent que j'oublie il faut bientôt disparaître

Agitation de banlieues ! Rappel de bestialité
Papiers faux fausses nouvelles faux travail et fausse guerre
Tout un soupir tout un chagrin vous mesure à vos vérités
Rien n'apaise que parmi vous il faudra tantôt que je meure !

Que mon âme soit du moins dans ce temple de l'instant
Immuable et dominante au milieu du jeu des âmes
Est la prière de mes yeux tandis que le cœur défaillant
Creuse en aimant creuse et veut une seconde unique flamme.

A SOI-MEME

ÉCRIS maintenant pour le ciel
Ecris pour la courbe du ciel
Et que nul plomb de lettre noire
N'enveloppe ton écriture

Ecris pour l'odeur et le vent
Ecris pour la feuille d'argent
Que nulle laide face humaine
N'ait regard connaissance haleine

Ecris pour le dieu et le feu
Ecris pour un amour de lieu
Et que rien de l'homme n'ait place
Au vide qu'une flamme glace.

MANDALA

DANS une contrée étrangère
Entretien sur ce qui n'est pas :
Recherche du Nom sans personne
Et de la Personne sans nom

Recherche des routes sans pont
Et de lacs où nulle eau ne sonne
Des temples bâtis sans lumière
Nuit où le soleil ruissela

Désir du membre sans moteur
De l'action sans corps de bête
De l'éternité sans pâleur

Et par le silence des fêtes
Faim du Souverain qui là-bas
Se dérobe dedans l'état.

YANICK

GRANDE courtoise amie de la fortune
C'est plutôt comme cendre à peine tes espoirs
Frisant au point du corps où descend sur aucune
Chair une dentelle funèbre à rameaux noirs

Et la nature cruelle entoure
De son insulte ce faux palais
De tes noces brèves ; s'amoure
Le vieil instinct qui sort défait

D'avance à ta grâce malade et dans le pur
Du jardin de bonté de ton service impur.

PENSEES DU REGNE

DONNE-MOI de créer le Ciel imaginable
Non commun avec les sources molles de l'air
Le grand espace blond des poils fous du plaisir
Autour des lourdes lèvres blondes où parfume
Toute la terre, et d'enfanter par la liqueur
Blandice mais conçue parmi le cerveau pur
La double chose blonde et bleue imaginable ;
De ne penser nulle âme et n'aimer aucun corps
Rien que le double son d'abîme imaginable
De n'être à nul argent nulle religion
Comme à ce grand baiser fracas pollution
Qui couvre femme et ciel mâle bleu terre blonde
D'extase en tous bombardements imaginables !
Accorde cependant pour fraîchir le péché
De ces grands forcenés, comme mer intérieure
Dieu mort aux bras ouverts et genoux parallèles
Epaule pour un monde et croix sur la légère
Agonie ; parallèlement glorifié !
S'il n'y a plus que chiffre — humain déshérité
Jette-moi à l'éternité tout entière.

Pierre Jean Jouve.

TEMPLE SUSPENDU

UN massif de demeure un cercueil de bois d'or
Une armée de fronts clairs et que le nombre inspire
Touche toujours le ciel ! et par l'intime effort
Des rochers monstrueux que la terre soupire.

Après dix mille degrés vieux de pierre et sang
Une âme y entre avec son aurore étrangère
Et dépose d'abord sur le dallage grand
Le paquet convulsé de mémoire et colère

Et va-t-elle prier ? Incendie la beauté
Croyance ! ou que le temple ne survive en rêve
A la génuflexion. Et que la santé

Qui promène des yeux coniques égarés
Sur ces choses trop nues au monde désolé
A ne plus voir le beau se brise et se soulève.

DRAGON DU NOUVEAU TEMPS

EN rêve quand les yeux sont fermés. Le dragon
Déroule en gémissant ses paupières dorées
Quand la fièvre altérant la lumière du son
Pose question à l'âme. Et les vies ou idées
Ne se peuvent penser ensemble. Et le chagrin
Aux multiples obscurs soleils. Et la noirceur
Ne peut plus rien comprendre sinon l'abandon
Théologien (les eaux d'un déluge tirant
D'obscènes charniers seuls stupides abondants).

Alors l'espoir comme une fille en barbarie
Rappelle à ce poète une peine infinie
Et qu'il est la risée au peuple sans grandeur.

ABRAHAM

D'UNE création aveugle dévorante
Fais le jour le pain quotidien
D'une poussée toute contraire
A l'architecture ! au soin !

De Qui créant marche et dévore
Accepte l'inimitié
Tu voulus le chaste succès
Tue, Abraham, ta géniture.

Laisse la rime. Ecris pour les roses marines
Pour les duvets penseurs au fond des membres blancs
Ecris pour un dialogue avec l'invisible

Et pour un soleil qui n'eut pas son brillant
Pour une amoureuse qui n'a pas consenti
Laisse ta volonté cède ton vrai délire !

Et pas un mot de plus que ceux-là qui requièrent
Le carnage et l'amour le réel et le sang.

ODE

LA PAGE BLANCHE

I

UNE page blanche ! c'est ton histoire, et nulle patte fine d'oiseau rare
Posée dessus (fille rencontrée dans la rue)
C'est ton histoire emplie de neige, et qu'un front haut sous une boucle, et qu'un front d'artifice ignore
On y voit que l'histoire née dans le flot du pas à pas, ô toi qui muses, toi qui cherches, à la hauteur de ce front droit n'est pas écrite et qu'elle ne s'écrira pas.

On ne la voit pas dégagée de tes grands membres vivants cygnes
Aussi grands que l'amour distrait : auquel tu fus dévouée comme à la machine infernale.
Une page de regard blanc ! n'est-ce pas ton livre de cygne
Et tu n'entends pas une langue, parlée aux pages de cygne, et venue des cours étrangères.

« Vous auriez tort, mon doux seigneur, de ne point croire à ma honte
Au rossignol tué avec la buse, au printemps outragé par la boue
Vous auriez tort, mon cher seigneur. Je suis une fille mauvaise
Mauvaise de cruel servage à la hauteur de l'amour, je n'ai que honte sous les yeux, que trouble dans mes cheveux ! dans mes mains mon sang et ma vigne
Je n'ai qu'histoire de chagrin et chanson pour le lendemain. »

Tu n'es que page et vierge page enluminée de fortes neiges
(Illusion la main et la vigne, illusion, fruits du tombeau)
Tu n'es que page d'étoiles vierges, que ncuveauté imprévue de la mer, que lumière jamais formée — sinon ce trouble de paupières
Ce ressaut courbe de ventre et cette inflexion de bouche humectée
Comme un double banc de violettes par-dessus le fil des eaux.

II

Humaine douceur de regard, sur les marches de fin du monde,

O égaré parmi les bêtes, humain regard de haute mer !

Marchez debout entre les hommes, la fraise à votre cou de cygne

Princesse du sang, car la douceur, douceur de fille que l'on n'a pas eue, n'est-elle pas bien longue et vive ?

Perle de fraîcheur, ô Jeunesse. Car vous aviez les yeux ouverts

Naissante, quand nous penchions lourd comme le chêne d'une allée

Et c'est déjà loin aux jardins ! ô vous merveille du cygne

Votre cou, maîtresse du temps ! votre cou, maîtresse de plumes ! ce cou plein d'honneur et de cygne.

Telle tristesse et telle ardeur ! Mais comme j'ornerai votre cou, maîtresse du cygne des années, de vieux chagrin ! Je trouverai

Sur un détail même des plumes l'enthousiasme à peine oublié, l'enthousiasme volcan rouvert ! et reviendrai sur mes années

Comme un cavalier de poitrail au corps blanc sans nul vain duvet, toute sa force au lieu seyant et brandissant la vérité.

Ah ! je retrouverai ces désirs que les larmes n'ont pas changés en perles artistes et fausses

J'aurai votre âge ô jeune fauve, orné de guirlandes de forces ;

J'abandonne les biens gagnés ! je vends les châteaux, les ouvrages,

Je vends l'âme à votre sourire qui ne sait pas qu'il est sorcier,

Je vends ma langue à votre voix, non tant pour jouir sur vos plages

Mais pour revenir ! à vos sangs ! à vos sangs de vingtième année.

III

La très-pensive Charité est-elle si absente des chairs
Que le charnel soit sur le lit et la femme le dos tourné le dos perdu à la lumière ?
Un rêve ai-je dit, un rêve cette longue étreinte vécue,
Ou une absence de rêve ? Changement de vie changement de rêve,
Ou le Rêve, recul arrière —
Tels sont les modes d'enchanteur et n'est-il pas aussi vrai que la Charité les voulut ?

Tels sont les modes d'enchanteur, amie dénudée de mon aire
Le vent ne sait pas comme il passe et le vent ne sait pas le vent
Ainsi vous de sous-votre-cœur. Amie des hommes, solitaire
Amie dénudée de mon aire, ah vous ne savez pas comment introduire l'âme dans votre aire.

Un jour, fleur sauvage des temps
Votre fille ou une autre de vous foulant la sente au cimetière
De souliers légèrement claire de souliers menus ravissants
Elle se trouvera gracile en face du tertre humilié :
Elle verra le tertre brun encadré de flammes non visibles
Elle lira la plaque humide elle lira les yeux distraits
« Ici attend un Poète » — avec des yeux de temps charmés
Si beau et si pervenche ailée sera le ciel ce jour lointain
Où la jeunesse de vos yeux aura rejoint depuis longtemps les cendres de la jeunesse
Où la douceur de votre cygne aura retrouvé silence entre la vie et le cygne.

IV

Vieille vieille tromperie du cœur ! aux chairs blanches sur toutes les aires

Aux bouches rouges sous tous les vents ! Vieil abandon simple du cœur

Et toi que chasse le Désir ! et toi qui répands le plaisir

En torrents d'une unique étoile — ah je t'ai nommée l'Etrangère.

Qu'elle soit là — ne soit point là — qu'elle fût ange ou fille publique, son visage ou l'autre figure, mais la comète de son cœur !

Constant manque et gouffre de rare ! et poursuite de l'Etrangère.

Constant abîme de chair rare ! constant regard des plus longs cils

Toutes les formes s'accordèrent pour se déchirer d'ongles clairs

Toutes les formes inventèrent l'abîme vert pour se confondre

Que soit poursuivie la chassée ! (autant de force à la poursuite autant de travaux dans l'abîme que de réussite à la fuite et peu de chances pour la prise)
Que fasse unité l'Etrangère !

Je te salue insuffisance ! Je te reçois incompétence
Dont l'âme éperdue et navrée est la feuille déshabillée d'un arbre plus vieux que mon cœur
Je te salue ô Sacrée ! qui retiens l'univers sucré dans une caresse de ruelle
Savante d'univers entier ! Etrangère ! vaste regret formé de la double mamelle.

Etrangère, vaste beauté, plus familière que ma larme
Ce n'est pas d'aujourd'hui que je vois ton visage aux plus anciens cils,
C'est d'années de siècles de temps ;
Ce n'est pas d'aujourd'hui qu'abîme où souriante tu vas fuir
Referme sa porte en mon cœur, un bruit de vantail discordant !
Ce n'est pas d'ici que tu plonges, ce n'est pas d'ici mais d'avant, que douce et aimée jouissante
Tu enfonces l'ongle rouge dans l'immense durée de jour qui jamais ne sera présente.

V

Ma bien-aimée Etrangère

Chaque figure douce de Toi occupant la scène tour à tour

Toutes sont ce buisson de vieil or d'amour, toi l'Etrangère,

Et toutes sont aimées sans vêtements dans un unique voyage au fond des terres de l'étranger.

Je te connais fleur de mon gouffre ! Je sais tirer de ta bouche humectée et pleine des parures du sang — plus grasses rouges que le sang — les hauts cris de l'hirondelle sur les secousses des grands ossements

Je te connais fuite et retour, je te connais lampe cherchant les rayons de l'obscurité à travers le verre lourd de l'être

Et moi cherchant la lumière de mon iris à travers le même verre impénétré de l'être

Et tout être pleurant, pleurant, d'avoir perdu, pleurant son être.

Tu es la chose perdue, tu es le sol vert du regret, l'étoile Vénus du baiser, tout ce que j'eus à profusion dans le paradis de la fête,

O nuit d'énorme cillement non réversible sans parents,

Ce que depuis les Chérubins je pleure avec la larme sèche, orphelin de la gloire pure et orphelin pire de l'être.

LANGUE

★

LES instabilités profondes du Divers
Les coups de sonde et les promesses de la grâce
Les mystères de l'influence, font ces magies noires, magies roses
Ces rassemblements du hasard, ces flammes de magique jardin,
Ces apparitions du temps juste quand les membres nus se préparent
Ah ! cette ivresse d'inconnu
L'autre amour et le deuxième amour et le dixième amour où la grâce se produit
Où le spasme produit la douce bienfaisance :
Voyez le cristal de la larme sur la joue rosée de la joie,
L'instant funèbre au moment de la naissance des grands rôles pourpres
Et les hautes fidélités sous le travesti de l'infidèle
Et de pures majestés dans le don corrompu d'amour.
...Alors vient la beauté des clairs, alors viennent les épidermes, alors vient le tremblement des terres et le branlement des phénomènes

En un recueillement d'orage un immense raz d'eau des mers

(Et les phénomènes s'émurent)

Et des fonds atlantes haussés par l'accord des yeux forcenés !

Des îles passées en dérive, au Sud rejetées du Nord, et tirant tous les fleuves chauds du souvenir et du péché mais du merveilleux repentir et de l'espérance invincible

(Et les phénomènes s'émurent)

Sur les draps pâles du passage, et l'âme, la vérité, Dieu ne nous ayant pas délaissés.

★

AH traverser le jour de chaleur ! ah traverser
Son indolence et son poison ah traverser
Le plaisir du sol sous la croix bleue du ciel ! et l'eau des villes ! et les pesants passagers des villes ! et le creux du bord de la mer !
Ah traverser encor le sang ! et traverser encor le sang de la femme nue étrangère !
Ah traverser le courant d'espérance sans prendre garde au rouge vif
Mais au delà ! passer au delà dans le défrayement de la lumière
Dans la source épaisse du printemps ! Ah traverser, traverser l'ombre
Du décourage déformé, du décourage se formant, et couper à la rive dure du grand interdit en silence,
Et traverser le cœur entier, l'infini golfe coupable, par la bonté infinie du pyroscaphe des aubes,
Et traverser enfin le poids ! En raison de deux jumelles forces qui font route vers l'unique aube.

★

IL faut avoir vécu ces sombres pour avoir aussi ces clairs, avoir embrassé ce péché par un baiser même de bouche, pour perdre le péché de chair, en un avenir plus illustre ! à toutes grèves de ce temps triste, à tous rêves de ce péché !

Et pour aborder aux grandes îles sous une lumière vétuste ! et pour marcher abordant dans la vague plus que légère !

Il faut avoir hardiment péché pour trembler d'une délivrance où le péché soit consumé

Et hardiment croire d'autant et hardiment brûler de croire à cause d'un hardi péché

O plénitude, ô forme moulée ! ô bénéfice de la lumière.

AEROPORT

FEU du centre ! feu déperdu ! feu dans les caresses négligé !

Et toutes montagnes bien visibles sur un ciel d'aéroport, et toutes langues de nuages bien parlantes sur bleu azur.

Et toutes promesses bien tenues sur cette étendue invisible.

Si faible à côté la noirceur, si vaine l'haleine verte de l'hiver !

Feu du milieu, feu des langues, feu des regards pensifs de l'or.

Non, la voleuse ne l'a pas pris, la matière ne l'a point mangé, et la violence en chaîne ne l'a fait exploser dans tous les gammas de la mort,

Car tout est calme dans une face à barbe blonde crucifiée depuis bien des siècles

Tout est rayon dans un corps cireux et percé mort depuis des siècles

Tout est perfection sans siècles sous la transfiguration d'aéroport.

★

J'AI connu la plus humble fille jamais livrée aux mâles errant
Par ces hautes boues, ces hautes crasses, ces hauts sourires d'attachement,
J'ai connu la plus simple fille et la Pauvreté nommée fille.
Véritable carcan de fer à l'épaule de porcelaine
Sa pauvreté brisait ses bras malgré le rire de fontaine,
Et ses très sincères seins bruns arrondis comme est la terre
Et l'anneau fin de son amour, permettaient parfois que pareille
Au cygne de la vie humaine, elle reconnût la joie par blanc détour de la misère :
Et son cœur était une agate et ses pieds étaient toujours froids
Sa bouche d'argent toujours peint n'avait que salive très pure
Et mots droits discours sans douleur ;
Ainsi la voyait-on glisser
Sans ombre entre les policiers, près d'elle le Chevalier Cœur.

★

QUE le feu veille, que le feu dorme
Que le feu nomme le feu quand je me suis trouvé forclos dans la contrée des sables sans une miette de feu,
Que le feu dise : ô feu ! inconnaissable foi du doute quand le reniement est assis dans la cour avec le fondateur futur
Avec le proche et le plus divin cœur de l'apôtre pris par la peur,
Que le feu doute ! que le feu pleure et que le feu sans cesse écrive
Des signes obscurs de feu quand la chambre est creux froid obscur
Avec la pensée malade aux cheveux défaits à la face maigrie de terreur et aux pieds croisés par les larmes,
Que le feu brille *nulle part,* quand l'obscur est au globe entier de ces habitants mécaniques, de ce sang partout déferlant, de cet infini ennui.

TO BE OR NOT TO BE

DEUX arbres ébranlés tremblant sous vent funeste, mais debout, debout d'une terre bien blessée
(Cet horrible arbrisseau, racontait le poète)
Nous voici tous les deux. O silence ! ô histoire ! les prémices de vie défendues et crispées

Du lieu solaire pâle où nous sommes ensemble unis et réunis par les axes des mains
L'essentiel, dis-moi bien, eût été ne pas être
(Zones de pur amour, limbes d'enfants, de saints)
Car voilà qu'il n'est plus possible de mourir au terrifiant couloir, et qu'il n'est plus
De secours contre cette mort surnaturelle, et voilà qu'il s'agit, pour être l'art en Dieu,
De n'être jamais né. Ah ! seulement non-né
J'eusse rempli d'amour toutes mes grandes aires
Et tu eus accompli ton fulgurant dessein ;
Et dans la non-naissance était la joie, la pure
Joie ! la jamais connue de nos peuples sincères, de nos courages nés, de nos visages vieux, de toute notre chair si longtemps survécue.

COMME LE MOT

COMME le mot bain-marie met dans la cuisine la douceur de la Vierge,

Telle chaleur égale et liquide sera disposée sur les rocs, les épaisseurs d'eau, les brousses sèches, les déserts d'épreuve, et tout ce qui forme récif dans la suite de notre terre,

Tout ce qui fait caillot de sang dans la continuation,

Le changeant en bonté d'ysope en tendresse de balsamine et en songe mordoré de l'opium très sucré

Tandis que dans le sujet veineux l'énergie de gravitation jettera ses rayons consacrés !

J'ai compris l'inscription, j'ai lu ! et le long martyre a fini ;

Les écluses sont ouvertes, le transport régulier se fait,

Le silence des complicités entoure un ouvrage infini.

Or le jour se lèvera sur des lacs,

Or les trous de nuage bleus seront percés par nos fuselages, lorsque nous irons errer à des expériences océanes

Vertes avec socs de sang rouge et roses avec exhalaisons secrètes de poumons verts.

★

JE vous reconnaitrai, méandres, pour vos chemins fourbes semés de coups,

Je vous placerai dans votre sphère toute puissante et potentielle, vous érectile et sauvage, ô triste, triste matière !

Nécessités cruelles premières comme un chemin de haute douleur, comme une voie de basse langueur !

Et je m'envolerai de vous, méandres, toute négation de grandeur et toute vérité d'horreur bien serrées sur moi pour le coup

Qui reviendra dans son heure ! Et comme on se sort d'une fille

Et de l'amande suave par laquelle elle nous enserre et du plaisir ébloui dans quoi elle nous plonge sous notre aire,

Je me retirerai de la mort, qui m'a fait si ancienne peur,

Et comme on se retire de la mort de son drap d'argent et de ses vers et pire encore du non-être à la même place que l'être,

Je me sauverai d'un amour ! pour un plus grand zèle de pur, pour un plus grand zèle de clair,

Pour un plus vif anneau d'amour et pour un plus jeune zèle vers l'Etre.

Résous ce cœur de l'injustice à la haute lumière du soir

O Toi parfait époux des sables, toi phosphène d'or vert du noir,

O époux de mon âme femme (et ses ornements nuptiaux sont autour de sa ceinture angoisses sursauts cris des flammes)

O indicible du courage ! mystérieux des soumissions ! éclairement simple de la mort qui fit peur à l'âme femme et sera son beau portail clair

Toute douleur et tout plaisir composant le dernier des airs ;

Apaise ce nœud d'injustice quand nul monde contemporain n'a voulu mon cœur de justice,

Apaise l'œil d'or du poète plus douloureux que n'est sur marbre une pièce rouge d'autopsie, délie le corps, sauve les nerfs, ce corps que Ta main nous donna comme témoin et garantie.

★

AUGUSTE monde des chairs âgées, des pierres montagnes égalant la solitude, et des déserts calcinés sur le bord des terrains fourmillants obscènes,

Oh que Dieu soit témoigné par une seule pierre cruelle comme il l'est par une eau pourrissante et molle d'étang vert

Qu'il soit témoigné intérieurement par le récif de la mer et qu'il le soit inconsciemment par le silence des nuages bleus faisant naufrage

Qu'il soit témoigné non comme le divin par le haut monde, mais comme foudre de tonnerre sur n'importe quel pauvre lieu de mon monde,

Tout étant nous mais seulement nous ! rien que désert, ennui de nous, rien que marée, rêve de nous, rien que montagne, chute de nous,

Tout torrent vidant notre cœur, tout rocher poussant notre cri et tout

Vent balayant le temps de notre colère !

Et qu'il écoute humblement, le merveilleux ingénieur qui s'est débarrassé de Dieu

Car il n'y a même plus d'hommes : seulement parcelles et lueurs et microcosmes brûlants à l'usage de Dieu Seigneur.

★

TU n'as que saint Esprit

Retrouve-toi vieux cœur dans l'étroite absence des terres, et le soleil féroce d'en bas, et les lueurs du confluent chevelu en personne,

Et la beauté diaphane d'esprit où Dieu par une telle sanglante boue s'aime jusqu'à son Esprit

Pendant que l'esprit aime en Dieu ; ne quittant nul étage de traces

Ne perdant nul appui dans les perfections de sueur et de marbre que produit le langage.

Absolument dévasté et comme Œdipe l'œil crevé mais clair rebandé en esprit,

Bénis ! celui qui sait ! qui dit ! qui protège la larme de honte avec un léger souffle de l'Esprit.

VAGADU
(AVENTURE DE CATHERINE CRACHAT)

LES MERVEILLEUX GRECS

« J'ai vu des choses si terribles, mon bien-aimé, que je prends plaisir à vous voir. Vous êtes beau, en somme. Vous êtes sévère et vous êtes aimable. Vous êtes jeune et vous êtes vieux. Je remarque que vous avez beaucoup de visages qui glissent l'un sur l'autre et cela change tout le temps ; mais en s'épaississant, c'est vous.

De profil vous êtes un Chinois. Vous savez, un Chinois immobile dans un temple, ce qu'on appelle, je crois, un bonze : il mange quelquefois du riz sans jamais pencher le torse, et il parle sans cligner les yeux, et il rit sans faire bouger ses rides. Au fait vous seriez plutôt un guerrier : je suppose qu'il y a en vous une force terrible, anormale, une force anéantissante ; c'est votre profil de guerrier chinois ; une habitude de souffrir avec joie, c'est encore votre profil de bonze chinois ; et vous torturez selon les principes, et vous allez me torturer — mais ô surprise ! ces chinoiseries disparaissent par enchantement et font place à un gosse très jeune.

Vous devez être superbe quand... Pardonnez-moi cette indiscrétion. Je ne le ferai plus. Je ne penserai plus jamais à vous de cette façon. C'est très mal. Bien entendu vous m'avez devinée, car vous avez une connaissance de sorcier de la même nature que votre force, rongeante et ravageante. J'ai très peur de vous. Mais enfin vous êtes l'Homme ; cela fait pardonner beaucoup de choses de part et d'autre. J'aurai le courage de répéter que je voudrais bien savoir comment vous êtes l'homme. Oh vous êtes terriblement sur moi et vous allez faire mon bonheur, et je ne pense qu'à vous depuis quelques jours. Mais ce n'est pas cette chose claire que je veux dire. Je vous parle, vous me saisissez ?

Vous n'êtes pas un Trimegiste. Vous n'enveloppez pas la femme dans beaucoup de fils comme une araignée. Non, vous êtes d'attaque, vous. On peut se laisser aller quand vous vous présentez. Vous risquez tout le jeu pour avoir toute la bête. Je pourrais bien vous assassiner, vous savez ? Il arrive que les femmes s'en tirent comme ça. Et quelquefois ce sont les hommes qui assassinent. Nastasia Philippovna doit être assassinée tout à fait nécessairement, elle ne peut pas y couper, et si ce n'était pas Rogojine qui faisait le coup, ce serait l'Idiot lui-même.

Mais ces solutions extrêmes ne sont pas agréables.

Vous me faites penser à la nature. Je revois les montagnes chargées de feuillages énormes, poum, poum, les uns sur les autres, dans le ciel. Et vous, l'avez-vous assez perdue, hein, votre enfance ! A l'intérieur de vos yeux pourtant je vois une source : elle vient, on ne sait pas d'où, mais elle affleure, et elle essaie de mouiller le désert ! Mais moi je les ferai jaillir franchement, vos sources naturelles ! Je vous assure que je suis bonne. Me croyez-vous ? Je suis très bonne. Je veux seulement être heureuse avec vous dans la nature, au jour, sous le ciel, je veux vous aimer comme ça me plaît, à la sauvageonne, je veux m'y mettre avec un homme comme vous. Il faut que vous me laissiez faire. Il ne faut pas que vous m'intimidiez, car vous êtes beaucoup plus fort, et à mon âge... Je n'accepte pas vos arguments civilisés et moraux. Je veux un grand singe hamadryas et vous pouvez très bien l'être. Pourquoi ne le seriez-vous pas ? Tel est le sens de votre beauté. J'ai besoin de choses réelles, vous comprenez ? J'ai passé toute ma première vie dans des erreurs et des quiproquos, j'ai toujours pris quelqu'un pour un autre. Maintenant je veux prendre quelqu'un pour lui-même et j'attendrai de voir comment il se comporte et ce qu'il sait faire, et je veux qu'il me prenne pour ce que je suis et ce que je sais faire, et par ce chemin sans doute nous arriverons à l'immense, immense « plaisir dans la nature ».

Vous qui vivez en solitaire et en artiste, vous me donnez envie d'être la femme universelle : par exemple vous me faites penser aux statues grecques. Je ferais bien *Vénus Anadyomène* pour vous. J'aurais la peau sombre couleur du coco, et des gouttes chaudes qui tombent de mes yeux, glissent sur mes parties huileuses. Le bas de mon dos serait étincelant comme le soleil dans le triangle des trois fossettes, et le vent ferait rouler sur mes épaules ma chevelure vernie. Mon devant serait lisse et rude (ainsi qu'il convient à Vénus), colonne que le poil protège. Ma figure serait inanimée en sortant de l'eau de la mer. Naissance dans l'eau de mer, eau de mer de la naissance. Je jouerais aussi pour vous les sujets secondaires : celui de la naïade, celui du triton, celui de l'hippocampe. Car mon corps sait représenter toutes choses. Mon amour contient tous les rôles qui plaisent à votre désir. Préférez-vous me voir uniquement blanche et passive : *Europe* enlevée par le taureau, ravie par Jupiter, toujours dans les flots de la mer. Ceci me rappelle un tableau de musée vu dans mon enfance, et il exerçait sur moi une telle fascination qu'en le voyant, je suais d'amour. Regardez. Le taureau est blanc, majestueux, olympien. Europe est d'un autre blanc, et son pubis est crème ; l'océan est vert et bouge sur ses orteils. Mais non ; vous vous lassez ; vous n'aimez pas. Je descendrai donc sous terre et dans les Enfers et je serai *Hécate*. Pâle incarnation magique de la Lune — lorsque, dans son troisième quartier, elle monte avec un aspect faux, étalant comme un crachat au milieu du ciel où se dissémine l'orage — je parviens au souterrain qui contient les âmes des morts dans l'attente ; ici je sers aux enchantements, aux rachats, et près de Proserpine, je rends mes implacables sentences. Aie une grande peur de moi, de ma beauté froide, irritante, et surtout de mon sourire qui fut l'antique retroussis des babines de Diane. Quoi de plus féroce que *Diane ?* Elle est belle, elle est saine, son hymen n'a pas été forcé, elle coupe le membre aux animaux, son odeur est la plus puissante des forêts parfumées et c'est dans sa propre odeur qu'elle tue ! Mais Hécate est plus mystérieuse : car je ne chasse pas, et je tue. Cette créature demi-divine que j'ai été effectivement me paraît être celle qui convient le mieux à l'accent atroce de ta beauté. Oh, tu sais, quant à toi, que « dans le fond réside le vieux dieu furieux dont assurément le mieux est de ne rien dire ».

Mais tu demanderas aussi, ô démon, le personnage humain !

Après le flanc couvert de vapeurs et la touffe enivrante de Vénus, qui tournent nos cœurs dans la confusion, combien douces sont les épaules de la jeune *Ariane* couverte du péplum trop large, au corps tel une rivière ! C'est une vierge véritable et grasse qui se guide dans le labyrinthe des buis mortels, des sources empoisonnées, dont chaque détour doit annoncer l'irruption brusque du Monstre, et où, sous un plafond bas, tu halètes. Ariane te tient ; son visage est grave, et elle est vêtue de blanc. Son fil s'accroche aux petites aspérités du terrain et elle tend activement l'oreille tandis que sa bouche murmure. Suis-la ! Suis-la ! elle te tirera de ce mauvais pas profond et ancien dans lequel tu es engagé depuis toujours, terrifié, arrêté, suspendu à la menace de la mort ignominieuse et te raidissant pour la rencontrer. Qu'ai-je voulu, avec mes blanches épaules tombantes : ta confiance uniquement. Accorde-la moi ; promets-moi le mariage ; ensuite ramené à l'air libre, devant le ciel splendide et nuageux, tu coucheras avec ma sœur.

Partons en voyage. Je serai ta mère, ta sœur, ta fillette, ta fille de bordel. Je serai ta poule, ton confesseur. Ta muse, ton ange. Je serai ton démon à la jarretière. Je serai ton guerrier cuirassé de linge et ceinturé. Je serai ta sainte femme, en noir. Je serai le domino, je serai la laveuse de plats, je serai la protectrice de l'intelligence, je serai la femme assassinée au village. Je serai le garçon, si tu veux. Car dans ton amour, il faut être énormément et beaucoup, un sexe et l'autre, un monde et l'autre, une et plusieurs, il faut se donner beaucoup de mal avant d'épuiser tout ce que la Nature nous a accordé ! »

LE DON JUAN DE MOZART

GRANDEUR ACTUELLE DE MOZART
(Extraits)

Voilà cent cinquante ans que Mozart poursuit son achèvement afin de se manifester tel que Dieu l'a voulu : absolue Source de musique. Il le fait en dépit de travestissements extraordinaires. Wolfgang Amadeus Mozart a toujours été dans la gloire. Mais comme si la première gloire qu'il eût connue, la gloire du *prodige*, l'eût marqué de sa mauvaise qualité et l'eût comme attaché à une époque de mondanité brillante, Mozart est resté sous le malheur de la *réussite*. Toute la vie, tout l'œuvre, la mort de Mozart sont en sens inverse d'un courant de faveur qui dès l'abord s'est constitué : mais le courant l'emporte. Les admirations ne manquent pas à Mozart pendant le XIXe siècle : Gœthe déclarait que la musique de Mozart était la meilleure. Delacroix adorait Mozart, Stendhal ne jurait que par « Don Juan », enfin le « divin Mozart » régnait partout ; un « air de Mozart » répandait l'invincible enchantement. Il est permis de penser que les adulations d'esprits si différents ne se réunissaient que par malentendu. On en a le soupçon, par exemple, si l'on compare dans le Journal de Delacroix l'opinion sur Mozart et celle sur les dernières œuvres de Beethoven. Ce que Delacroix aime dans Mozart n'est pas du tout ce qu'il aurait *dû* aimer, étant Delacroix, et aimant — avec quelle puissance, on le sait — Faust et Hamlet. Non, à cette époque-là le véritable Mozart *n'est pas encore visible*. Au contraire, une composition de toutes les vertus de Mozart a cours : légèreté, grâce, tendresse, vivacité et mesure, qui se substitue entièrement à la vérité de Mozart. L'interprétation « par » la légèreté, la grâce, la tendresse, fortifie de plus en plus la figure agréable et séduisante, la fortifie, ce qui est mieux, de valeurs empruntées au vrai, mais somme toute non vraies par la mise en place qu'elles reçoivent.

Ce travail d'artifice fit reculer Mozart dans le royaume des ombres. Mozart disparut presque quand l'invasion wagnérienne essaya de conquérir la Musique. Pour les temps de notre jeunesse (la scène se passait en France) Mozart était, il me semble, aussi reculé que Rameau et plus dix-huitième siècle que Glück. Mozart était tout petit. Un ravissant petit marquis à perruque et en culottes de soie qui accorde son violon sur un genou. Image de la musique enfantine, innocente, inconsciente avec intention tant elle est sans rapport à la misère de la vie — image apprêtée et réussie comme d'un Watteau sentimental — le joli Mozart.

« Il n'y a pas un jour où je ne pense à la mort », écrit Mozart au moment le plus brillant de sa jeunesse. « J'ai seulement, de temps à autre, comme des accès de mélancolie », dit encore une lettre à son père de 1778. Et l'extraordinaire lettre les derniers jours, sur le *Requiem* : « Je suis sur le point d'expirer. J'ai fini avant d'avoir joui de mon talent. La vie, pourtant, était si belle, la carrière s'ouvrait sous des auspices tellement fortunés... Mais on ne peut changer son propre destin. Nul ne mesure ses propres jours ; il faut se résigner : il en sera ce qu'il plaira à la Providence. Je termine : c'est mon chant funèbre et je ne dois pas le laisser imparfait ».

Il est profondément certain que le génie de Mozart est sous le signe de la mort ; mais ceci requiert aussitôt explication. La mort est à l'origine d'une forme merveilleusement parfaite, d'une « limite » touchée de façon exquise et toujours exactement remplie — jusqu'au bout. Penser ainsi est encore trop général. La pure opération des esprits de vie et de mort dans Mozart consiste en une domination (peut-être unique) sur les forces les plus violentes de la concupiscence, du chagrin, de la mélancolie, de la moquerie, de la fureur — du démoniaque obsessionnel — sur les réalités enfin les plus cruelles du vrai — sur le péché même, — domination exercée par l'esprit de raison, qu'éclaire la Foi, et selon la règle d'or de la beauté. L'ouvrage de la mort dans l'œuvre de Mozart est tout spirituel ; la mort y est la sœur du feu. Le point énigmatique est la beauté : que cette beauté soit constante, et que toujours la beauté laisse voir, en la dérobant, la souffrance intérieure.

En un sens, il y a quelque chose d'inhumain (ou de surhumain) dans la musique de Mozart. Probablement ce qu'il propose tient-il pour nous du miracle. Mozart accomplit le miracle et il n'est pas étonnant que les hommes aient eu de la peine à entendre. Le faux Mozart, comme le dit si bien Bruno Walter — a été inventé par ces hommes légers, sourds aux promesses spirituelles, qui tournèrent les vertus de Mozart contre Mozart lui-même, qui firent de la puissance lumineuse une brillante parure, afin de rendre invisibles les secrets sanglotants. Mozart a été censuré par ses adulateurs, et longtemps l'adulation a monté la garde afin que nul ne pût comprendre. Il a fallu la lucidité et l'acharnement douloureux de notre époque pour que Mozart reparût, vêtu cette fois en archange.

Mozart en effet ne saurait être expliqué par son propre témoignage. Ce qu'il dit sur son œuvre a très peu d'importance. Génie étrange et de proportions fantastiques, il tient son œuvre dans la dépendance de son bizarre personnage : il est anti-goethéen en ce sens qu'il s'ignore lui-même et *doit* demeurer dans la sainte ignorance. Sa conscience est d'être simplement tout chant, tout musique ; de pouvoir (comme l'annonce fièrement une lettre d'Italie) composer dans tous les styles. Paradoxe génial, qui voulait que Mozart allât en Italie pour y apprendre à être *seulement* Mozart, à créer un style inimitable dès les premiers pas, à faire, à l'aide de la superficielle Italie, ce que l'Italie ne pourrait jamais produire : le monde-Mozart.

...De la polyphonie de Mozart, il apparaît que la substance soit en acier. Quelque chose d'extrêmement dur, et ployant, dans une douceur parfaite. (Ainsi Don Juan, à la fin de l'acte premier, courbe son épée devant sa poitrine, tenant tête au chœur des lamentations, des remords et des fureurs.) Tristes, cruelles, souriantes, ce sont les explosions d'une matière *dure ;* on ne saurait trop insister sur ce point. Dans une texture extrêmement complexe, difficile à saisir entièrement, apparemment simple par une sorte de trompe-l'œil parce qu'elle est toujours unifiée en une ligne de beauté simple, des mouvements de force fulgurante se produisent — sans cesse, en même temps que des épanchements merveilleux, poursuivis jusqu'au terme du possible, les séparent. La *rupture* est la loi de cet art d'harmonie suprême. Que manifeste une musique si essentiellement Musique ? La lutte de l'âme contre l'âme, de l'affect contre l'affect, la division déchirante, la blessure, la déchirante unité, puis la divine unité. L'unité ne s'obtient qu'en recouvrant la rupture incessante. Mozart a dû fuir sa vie pour trouver sa vie. Sans une once de lourdeur, avec une légèreté « diabolique », et toute la flamme centrale possible, il a conduit cette entreprise. Il ne faudrait pas croire que l'idée mozartienne fût toujours celle de catharsis, ou comme dans *La Flûte Enchantée,* d'ascension vers la lumière. Non ; beaucoup plus de variété, de vérité humaine, de désespoir, d'erreur, est enfermé dans ces chants divins. Profonde analogie avec le mouvement impitoyable de

Shakespeare. Comme musicien et comme dramaturge, Mozart est la vérité et la variété mêmes. « La mesure... le vrai... » (Lettre de 1782). Rien n'est refusé à la prise de son esprit, à la condition de rentrer dans la forme de son esprit. Sa musique est baroque et aussi grecque ; classique et moderne, jamais entendue, en tout cas, en dehors de lui. Il y a toujours, dans le déroulement rapide de cette musique sauvage et exquise, la mise en œuvre des forces les plus grandes en tous les registres de l'orchestre et de la voix, pour l'union de plusieurs génies : génie de science et génie d'enfance.

BIBLIOGRAPHIE

PREMIERES PUBLICATIONS
(Éditions partielles)

Poésie :

Les Mystérieuses Noces. Paris, Stock, 1925. E*.

Nouvelles Noces. Avec un portrait par Joseph Sima. Paris, Gallimard, 1926. E*.

Noces. Paris, Au Sans Pareil, 1928. E*.

La Symphonie à Dieu. Avec une eau-forte de Joseph Sima. Paris, Gallimard, 1930. E*.

Sueur de Sang. Avec une eau-forte d'André Masson. Paris, Editions des Cahiers Libres, 1933. E*.

Hélène. Paris, Editions G. L. M., 1936.

Urne. Avec un dessin de Balthus. Paris, Editions G. L. M., 1936.

Kyrie. Avec quarante-neuf lettrines de Joseph Sima. Paris, Editions G. L. M., 1938.

Ode au Peuple. Paris, Editions G. L. M., 1939.

Résurrection des Morts. Paris, Editions G. L. M., 1939.

Gloire. Alger, Editions de la Revue Fontaine, 1942. E*.

Les italiques marquent les éditions originales : en minuscules pour les premières publications, en majuscules pour les éditions principales.

E* = ouvrage épuisé.

Porche à la Nuit des Saints. Neuchâtel, Editions Ides et Calendes, 1941. E*.

Le Bois des Pauvres. Fribourg, Editions L. U. F., 1943. E*.

La Louange. Fribourg, Editions L. U. F., 1945.

Essais :

Tombeau de Baudelaire. Neuchâtel, Editions de la Baconnière, 1942. E*.

Le Quartier de Meryon. Tirage limité, avec dix-huit eaux-fortes. Paris, Editions du Camée, 1946.

Apologie du Poète. Editions G. L. M., 1947.

EDITIONS PRINCIPALES

Poésie :

LE PARADIS PERDU. Paris, Les Cahiers Verts, Grasset, 1929. E*.

LES NOCES. Paris, Gallimard, 1931. E*.

SUEUR DE SANG. Paris, Gallimard, 1935, E*.

MATIERE CELESTE. Paris, Gallimard, 1937. E*.

LE PARADIS PERDU. Nouvelle édition limitée. Avec douze eaux-fortes de Joseph Sima. Paris, Editions G. L. M., 1938.

KYRIE. Paris, Gallimard, 1938. E*.

LE PARADIS PERDU. Nouvelle édition. Fribourg, Editions L. U. F., 1942. E*.

VERS MAJEURS. Fribourg, Editions L. U. F., 1942. E*.

LA VIERGE DE PARIS. Fribourg, Editions L. U. F., 1944. E*.

GLOIRE 1940. Fribourg. Editions L. U. F., 1944. E*.

LA VIERGE DE PARIS. Edition d'ensemble (Gloire, Vers Majeurs, La Vierge de Paris). Paris, Editions L. U. F., 1946.

HYMNE. Paris, Editions L. U. F., 1947.

GENIE. Paris, Editions G. L. M., 1948.

DIADEME. Paris, Editions de Minuit, 1949.

ODE. Paris, Editions de Minuit, 1950.

LANGUE. Edition d'art, tirage limité à 53 exemplaires, dont 28 exemplaires ornés de trois lithographies par Balthus, André Masson, Joseph Sima. Paris, Editions de l'Arche, 1952. E*
Nouvelle édition. Paris, Editions du Mercure de France, 1954.

SUEUR DE SANG. Nouvelle édition. Paris, Editions du Mercure de France, 1955.

LYRIQUE. Paris, Editions du Mercure de France. 1956.

MÉLODRAME. Paris, Editions du Mercure de France, 1957.

INVENTIONS. Paris, Editions du Mercure de France, 1958.

PROSES. Paris, Editions du Mercure de France, 1960.

MOIRES. Paris, Editions du Mercure de France, 1962.

Romans et récits :

PAULINA 1880. Paris, Gallimard, 1925. E*.

LE MONDE DESERT. Paris, Gallimard, 1927. E*.
HECATE. Paris, Gallimard, 1928. E*.
VAGADU. Paris, Gallimard, 1931. E*.
HISTOIRES SANGLANTES. Paris, Gallimard, 1932. E*.
LA SCENE CAPITALE. Paris, Gallimard, 1935. E*.
AVENTURE DE CATHERINE CRACHAT (Hécate - Vagadu). Nouvelle édition limitée. Paris, Editions L.U.F., 1947.

HISTOIRES SANGLANTES (Histoires Sanglantes — La Scène Capitale). Nouvelle édition limitée. Paris, Editions L. U. F., 1948.

PAULINA 1880. Paris, Editions du Mercure de France, 1959.

LE MONDE DÉSERT. Paris, Editions du Mercure de France, 1960.

LES AVENTURES DE CATHERINE CRACHAT. — HÉCATE. Paris, Editions du Mercure de France, 1963.

LES AVENTURES DE CATHERINE CRACHAT. — VAGADU. Paris, Editions du Mercure de France, 1963.

Essais :

LE DON JUAN DE MOZART. Fribourg, Editions L.U.F., 1942. E*.
2me édition. Fribourg, Editions L. U. F., 1944. E*.
3me édition. Paris, Editions L. U.F., 1948. Librairie Plon, 1953.

DEFENSE ET ILLUSTRATION. Neuchâtel, Editions Ides et Calendes, 1943. E*. 2me édition. Paris, Charlot, 1946 (n'est plus en vente).

COMMENTAIRES. Neuchâtel, Editions de la Baconnière, 1950.

WOZZECK OU LE NOUVEL OPERA (en collaboration avec Michel Fano). Paris, Librairie Plon, 1953.

EN MIROIR, Journal sans date. Paris. Editions du Mercure de France, 1954.

DÉCOR DE DON JUAN. Essai illustré par les décors et costumes de A.-M. Cassandre pour le Don Giovanni de Mozart, du Festival d'Aix-en-Provence. Genève, Editions Kister, 1957.

TOMBEAU DE BAUDELAIRE, comprenant Tombeau de Baudelaire, Delacroix, Le Quartier de Meryon, Un tableau de Courbet. Paris, Editions du Seuil, 1958.

Divers :

PROCESSIONNAL DE LA FORCE ANGLAISE. Fribourg, Editions L. U. F., 1944. E*.

L'HOMME DU 18 JUIN. Fribourg, Editions L. U. F., 1945. E*.

Traductions :

POEMES DE LA FOLIE DE HOLDERLIN. En collaboration avec Pierre Klossowski. Paris, Fourcade, 1930. E*.

ROMEO ET JULIETTE de *SHAKESPEARE*. En collaboration avec Georges Pitoëff. Paris, Gallimard, 1937. E*.

GLOSE DE SAINTE THERESE D'AVILA. En collaboration avec Rolland-Simon. Paris, Editions G. L. M.,

1939. Nouvelle édition. Alger, Edmond Charlot, 1941. E*.

LES SONNETS DE SHAKESPEARE. Paris, Editions du Sagittaire, 1955.

ROMEO ET JULIETTE. *Œuvres Complètes de Shakespeare. II.* Paris. Le Club Français du Livre, 1956.

MACBETH. Œuvres complètes de Shakespeare, V. Paris, Le Club Français du Livre, 1959.

Anthologies :

LES TEMOINS. Neuchâtel, Les Cahiers du Rhône, Editions de la Baconnière, 1943. E*.

A UNE SOIE (Prose et Vers). Fribourg, Editions L. U. F., 1945. E*.

Principales collaborations : La Nouvelle Revue Française, Les Cahiers du Sud, Fontaine, Poésie 42 à 47, L'Arche, La Nef, Le Mercure de France, Les Lettres Nouvelles, La Table Ronde, La Revue de Paris.

A consulter :

Marcel Raymond. De Baudelaire au Surréalisme. Corréa, 1933.

René Micha. L'ŒUVRE DE PIERRE JEAN JOUVE. Cahiers du Journal des Poètes. 1940.

René Micha. LA SCÈNE CAPITALE. La Maison du Poète, 1942.

Rolland-Simon. Spiritualité de Pierre Jean Jouve (dans « De la Poésie comme Exercice spirituel »). Fontaine, 1942.

Léon-Gabriel Gros. Poètes contemporains. Cahiers du Sud, 1944.

Marc Eigeldinger. Poésie et Tendances. La Baconnière, 1945.

Jean Starobinski, Paul Alexandre, Marc Eigeldinger. PIERRE JEAN JOUVE, POÈTE ET ROMANCIER. La Baconnière, 1946.

Pierre Emmanuel. Qui est cet Homme. L. U. F., 1947.

Gaëtan Picon. Panorama de la nouvelle Littérature française. Gallimard, 1949.

G. E. Glancier. Panorama critique de Baudelaire au Surréalisme. Seghers, 1953.

Jean Rousselot. Pierre Jean Jouve ou le Rôle sanctificateur de l'œuvre d'art. L'Esprit des Lettres. 1956.

Articles de : Yves Bonnefoy, Gabriel Bounoure, Joë Bousquet, Jean Cassou, Pierre Emmanuel, Bernard Groethuysen, Louis Parrot, Philip Toynbee, Jean Wahl, etc.

TABLE DES MATIÈRES

CHOIX DE TEXTES

LES NOCES

SUEUR DE SANG

MATIERE CELESTE

TABLE DES ILLUSTRATIONS

Achevé d'imprimer
le 25 janvier 1963
par l'imprimerie
Naudeau-Redon,
à Poitiers (Vienne).

D.L., 1-1963, éditeur n° 538, imprimeur n° 831.
Imprimé en France.